KanColle Pictorial Modeling Guide 6

Visual Reference of IJN Warships for KanColle "Admirals"

# 艦これピクトリアルモデリングガイド6

## 『艦これ』提督のための艦船模型ガイドブック

ネイビーヤード編集部／編

鎮守府氷祭り『滑ったり、輝いたり。』（C2機関）より

大日本絵画

KanColle Pictorial Modeling Guide 6
Visual Reference of IJN Warships for KanColle "Admirals"

# 艦これ ピクトリアル モデリングガイド 6

## 『艦これ』提督のための艦船模型ガイドブック

**本書は「艦これ」に参加して軍艦に興味を持ち「艦船のプラモデルを作ってみたい」と思った提督の皆さんに読んでいただくためのモデリングガイドです。2014年に発売された第1弾から毎年1冊のペースで刊行を続けています。今回お送りする第6弾は「艦これ」に登場する軽巡洋艦、駆逐艦に絞って紹介することにいたしました。艦船模型の世界では戦艦や空母に比べてマイナーな存在ですが「艦これ」の世界では提督みなさんのもっとも身近な相棒として親しまれていることでしょう。「艦これ」をきっかけにはじめて軽巡洋艦や駆逐艦の名前を知ったという人も多いはず。**
**本書では2019年末現在、発売されている軽巡洋艦、駆逐艦の1/700キットのすべてを紹介しています。初心者向けのキットから上級者向けのものまでさまざまなものが発売されていますが、本書を読めば必ずや皆様にぴったりのキットを見つけることができるでしょう。『艦これピクトリアルモデリングガイド』を通じて艦船模型に興味を持ってくださる方が少しでも増えることを願っています。**
**(編集部)**

# 目次 CONTENTS

本書で紹介した商品の値段は2019年12月時点の税別価格です。商品によっては流通在庫のみのものもあります。また模型写真は製作者によるディテールアップが施されています

# そもそも……巡洋艦、駆逐艦ってなんですか？

## 戦艦や空母、潜水艦はわかるけど……“巡洋”“駆逐”ってどういう意味？

**本書では「艦これ」に登場する軽巡洋艦と駆逐艦を取り扱う。そこでまず“巡洋艦”“駆逐艦”という艦種の類別について解説しよう。現代ではこの2艦種は大～中型水上艦艇ということで本来の意味を失っているが歴史的にはどのような軍艦を指していたのだろうか？**

巡洋艦という名称が海軍艦艇の類別用語として定着するのは1870年代のこととされる。帆船時代の軍艦は基本的にどのサイズでも顕著な構造上の違いはなく、大きいものほど甲板の階層が多く多数の砲を搭載し、小さいものは砲門数が少なく、場合によって船体形状や帆装に趣向を凝らして運動性を高める程度だった。前者は敵艦隊と渡り合って制海権を獲得する役割を担い、当時は戦列艦と呼んでいたが後の戦艦に重複する部分が大きい（フランスでは第二次大戦中も戦列艦と呼んでいた）。いっぽう、後者は武装の規模によってフリゲートやコルヴェット、スループという類別呼称を用いていたが、巡洋艦はこれらにかわる用途本位の単語として使われるようになった。もっともそれ自体には「外洋を何らかの目的で巡る艦」ぐらいの曖昧な意味合いしかなく、通商破壊、通商保護、偵察、哨戒から植民地警備まで、様々な任務が含まれる。

20世紀にかけて、鉄船の普及によってサイズの格差が広まり、船の動力源が帆装から蒸気推進などへ移行したことで、艦艇の用途分化が大きく進む。また、海上戦闘の様式もより複雑化し、新兵器の出現が新たな艦種を産む機会も目立ってきた。木造船は壊すか焼くかしなければ破壊できないが、鉄船は穴を開ければ沈む。19世紀、小型艇が船首端に爆薬をつけて大型船に突進する戦術が発生。爆薬は長い竿でできるだけ本体から離すものの、当然ながら巻き添えの危険が高かった。1868年、オーストリア在住のイギリス人ホワイトヘッドが魚雷を発明すると、これを竿付き爆薬にかわって用いるようになり、水雷艇と呼ばれる。魚雷艇ではないのは、当時は竿付き爆薬も機雷も魚雷も全てトーピドー（torpedo）と呼んでいたからで、19世紀の蒸気推進式トーピドーボートを水雷艇、20世紀の内燃機関推進式トーピドーボートを魚雷艇と訳するようになった。水雷艇は比較的安価な投資でも敵の戦艦クラスを撃沈できる手段として急速に普及し、行動範囲を広げるため次第に大型化。相手側がこれを撃退する手段として、それと同じ構造をさらに拡大し、強力な砲を搭載するものを建造した。これが水雷艇駆逐艦、略して駆逐艦で、自身も魚雷を搭載し、結果としてある時期において水雷艇の大型のものを駆逐艦と呼ぶ慣習が定着する。

従って、巡洋艦と駆逐艦の名称は、その成立過程が全く異なっている。巡洋艦には目的によって偵察巡洋艦、水雷戦隊旗艦巡洋艦、防空巡洋艦、航空巡洋艦、あるいは巡洋戦艦と、様々な分化が見られる。極端に言えば、航空母艦も巡洋艦の極端な変形だし、戦艦であってもドイツの「ビスマルク」のように通商破壊作戦を実施すれば、用途の面では巡洋艦と同じになる。逆に駆逐艦は単一目的の名称と解釈できる。第二次大戦の頃には、駆逐艦にも防空駆逐艦や護衛駆逐艦のような名称が出現した。これは、駆逐艦が艦隊の構成単位として定着し、雑多な任務をこなすようになったし、構造的にその派生としてデザインされているのであれば、デストロイヤーの単語をつけておけば位置づけを理解しやすいぐらいの感覚だろう。一方、巡洋艦には発達過程を示す名称も存在する。在来艦の舷側に装甲板を張ったベルティドクルーザー（装甲帯巡洋艦など複数の訳がある）、舷側防御を石炭庫に依存して甲板に装甲を施したプロテクティドクルーザー（防護巡洋艦）、両方の装甲を備えたアーマードクルーザー（装甲巡洋艦）などがそうで、第一次大戦以降の巡洋艦はほとんどが舷側装甲と水平装甲の双方を持つが、それらが船体を構成する構造材に組み込まれて軽量化された点で旧式艦と区別される。英海軍のアリシューザ級や日本の天龍型など、出現当初の新型巡洋艦は全般に小型だったこともあり、ライトクルーザー（軽巡洋艦）と呼んだ。

1922年のワシントン軍縮条約で、保有量制限のため基準排水量1万トン、主砲口径8インチ（20.3cm）に実質的な戦艦と巡洋艦の線引きが生じたのに続き、1930年のロンドン軍縮条約では同じ目的から巡洋艦自体も、主砲口径6.1インチ（15.5cm）を境として重巡洋艦・軽巡洋艦とするカテゴリー分けがなされた。この結果、構造的には軽巡洋艦の系譜だが類別は重巡洋艦というややこしい状況が起こり、発達史上の用語としての軽巡洋艦は現在あまり用いないようになっている。

一方、巡洋艦の多様性と駆逐艦の大型化によって、両者の要目が重複する場合が発生するようになった。ロンドン軍縮条約の規定ではこれも明確に区分され、基準排水量1850トン、主砲口径5インチ（12.7cm）という境界線が設けられた。これは、主砲より射程距離の短い魚雷を使うためにはおのずと接近戦を挑む必要があるため、駆逐艦の大型化には限界があるとの考え方も影響している。もっともその尺度はあくまで便宜的、暫定的なもので、主砲口径・サイズともその枠に収まらない駆逐艦はざらに見られるし、現代では巡洋艦と駆逐艦が同じ船体設計を共有する例もある。あくまで呼び方の問題で、結局は駆逐艦も巡洋艦の一種にまで発達したともいえる。

（岩重多四郎）

## 水雷戦隊と駆逐隊

駆逐艦の集団運用戦術を切り拓いたのは、他ならぬ日本海軍だった。日露戦争の日本海海戦では駆逐艦・水雷艇57隻がロシア・バルチック艦隊に襲いかかり、戦艦・巡洋艦各2隻を沈没や放棄に追い込んで完勝を確実なものとした。その経験を生かし、より確実で組織的な戦闘を展開しようと考えるのは当然と言える。この時は風波の強い洋上での夜間襲撃で、各艦は個別行動を強いられ、水雷艇の半数近くが会敵できなかった。また、現場の混乱によって6隻が衝突事故を起こし、1隻が沈没した。この結果、1隻あたりのサイズの問題とともに指摘されたのが、適切な統制運用の方法をどうするかだった。英海軍は当時の巡洋艦の建造技法で満足な性能の艦を得られず、第一次大戦中に一般型より一回り大きい指揮用駆逐艦（嚮導駆逐艦）を開発する。これに対し、太平洋を新たな主戦場と考えていた日本海軍は、北海の行動を主とする英駆逐艦より大型の指揮艦が必要と考えており、日露戦争から10年近く経ってアリシューザ級で確立した造艦技法を利用して、天龍型や5500トン級のような高速軽巡の開発に成功。大規模なグループを編成し、大型の旗艦でそれらを統制、あるいは火力支援の提供をすることとなった。

日本の駆逐艦は通常、4隻前後で駆逐隊という戦術単位を構成する。制度の上で駆逐艦は戦艦や巡洋艦などより格下で、艦の指揮官は正式には駆逐艦長で艦長ではなく、艦長に相当するのは駆逐隊司令だった。戦艦などが一般的には4隻で編成した戦隊に対し、数個駆逐隊と旗艦巡洋艦で編成するものを水雷戦隊と呼んだ。大戦間の連合艦隊では、通例4個駆逐隊の水雷戦隊を2個編成し、第1水雷戦隊が主力艦の直衛用、第2水雷戦隊が敵艦攻撃用と規定していた。保有艦艇は常に全部が艦隊に加わるわけではなく、交替で現役を担当したが、太平洋戦争開始時に全艦動員され、それぞれの任務に対し第3・第4水雷戦隊が追加された。また、平時から戦時にかけて、他の目的で水雷戦隊を編成する例も多く見られる。1942年に編成された第10戦隊は、内容自体は水雷戦隊と全く同じだが、目的が空母の直衛で水上戦闘ではないという意味で水雷戦隊と呼ばなかったらしい。また、駆逐隊にせよ水雷戦隊にせよ、所属する艦の数は絶対的なものではなく、2隻編成の駆逐隊、2個駆逐隊編成の水雷戦隊もあった。戦時中は損傷、沈没、新造艦の編入による変動が激しく、所属艦・所属駆逐隊が分散使用される場合も多く、フル編成の水雷戦隊が見られる機会はほとんどなかった。

駆逐隊の隊番号には一定の法則がある。一桁は横須賀鎮守府、10番台は呉鎮守府、20番台は佐世保鎮守府、30番台は舞鶴鎮守府の管轄を示す。戦時中には新造艦の型ごとに40番台、60番台も組まれた。水雷戦隊に編入されると、所属部隊は子隊（ねたい）と称し、煙突に水雷戦隊と隊内序列に応じた白帯を巻いた。駆逐隊内の序列は、戦前なら舷側に艦名を描いていたので問題なく識別できたが、戦時中は艦名を消したため何らかの手段が必要となり、最終的に2〜4番艦がそれぞれ丸・三角・四角のマークを使う方法で落ち着いた。

日本式の水雷戦隊編成の欠点として、旗艦が狙われやすい点が指摘される。駆逐艦のサイズの拡大や編隊運動の便宜などから、太平洋戦争ではこの編成法は意義を失いつつあった。

（岩重多四郎）

### 日本海軍戦艦 長門

排水量　3万9130トン
全長　224.94m
速力　25.0ノット

大きな大砲と
その攻撃力に耐えうる防御力
速力は遅め

製作／細田勝久

### 日本海軍重巡洋艦 鳥海

排水量　1万1490トン
全長　203.76m
速力　34.2ノット

攻撃力と速力重視
防御力はやや低め

製作／細田勝久

### 日本海軍軽巡洋艦 長良

排水量　5170トン
全長　162.15m
速力　36ノット

砲力低め、雷撃力強め
速力重視
防御力低め

製作／米波保之

### 日本海軍駆逐艦 白雪

排水量　1680トン
全長　118.0m
速力　38ノット

雷撃力強め
速力早め
防御力無視

製作／岩重多四郎

# 日本海軍が建造した全タイプの軽巡洋艦プロフィール

**日本海軍が太平洋戦争に投じた巡洋艦は重巡洋艦18隻、軽巡洋艦22隻の合計40隻となる。ここではおもに水雷戦隊の旗艦任務用に使われた軽巡洋艦に加えて艦隊旗艦任務などに使われた巡洋艦についてご紹介しよう**

文／岩重多四郎

## 天龍型軽巡洋艦　旧式艦ながら太平洋戦争では身軽に活躍

製作／山下郁夫

天龍《テンリウ》　龍田《タツタ》

八八艦隊計画の初期段階で登場した、日本海軍最初の近代的軽巡洋艦。水雷戦隊旗艦を主任務とし、比較的小型で、当時のこのカテゴリーではさほど一般的ではない全主砲・魚雷発射管の首尾線配置を採用。大出力のタービン機関で33ノットを出し、嚮導駆逐艦（旗艦駆逐艦）の大型版のような性格を持っていた。ベースの英巡洋艦からはかなり思い切って突き抜けたデザインとなっている。1919年に2隻が完成。米海軍が同じ目的で排水量が倍以上もあるオマハ級を計画したため、追加建造はされなかった。5500トン級の出現で本来の任務を退き、大陸派遣部隊などに所属。就役後も大きな改造はなく、太平洋戦争開始時もほぼ原形のままだったが、再び第一線に返り咲いて活躍した。

## 球磨型軽巡洋艦　ベストセラー、5500トン級軽巡洋艦の第1シリーズ

製作／佐藤美夫

オマハ級の出現を受けて天龍型のかわりに用意されたクラス。基本的には同級をそのまま大きくした設計で、そのぶん外洋での行動力が増し、一定の汎用性につながった。速力はさらに増して36ノットに達し、世界的にも突出した特徴となる。その一方、船体に対して武装のサイズが相対的に小さくなったため、複雑な配置となった。まだ米艦より小さいが、日本海軍はこれで任務を果たせると判断し、小改正を繰り返しつつ合計14隻を建造。基準排水量は5100トンだが、当時の標準的な排水量算出基準である常備排水量にちなんで5500トン級と呼ばれる。第1グループの球磨型は1920～21年に5隻が完成。同型艦同士の戦隊を組んで偵察部隊の役目を負ったり、大陸での警備任務に従事したりしていた。近代化改装のテストケースとなる機会もあり、「球磨」「木曾」の煙突や「木曾」の艦橋構造物など、後にまで残る独特の個性を得た。1930年代には再古参のイメージが強くなり、一部は練習艦への転用が考えられていたが、結局「球磨」「多摩」「木曾」はほぼ原形のまま太平洋戦争に参加。「北上」「大井」は魚雷発射管40門を搭載する前代未聞の重雷装艦となるなど、最後までクラスとしての見せ場を作った。

球磨《クマ》　多摩《タマ》　北上《キタカミ》　大井《オホヰ》　木曾《キソ》

## 長良型軽巡洋艦　5500トンシリーズ第2弾。最多量産数を誇る

製作／米波保之

5500トン級の第2グループ。1922～23年に5隻が完成、「阿武隈」のみ関東大震災の影響で2年遅れている。最大の変化は61cm魚雷の採用で、後年には酸素魚雷に換装したものもある。新造時の外見で目を引くのは艦橋構造物の形状で、球磨型では水上機1基を後部に搭載し発着ともデリックで揚収していたものを、艦橋の下から滑走台を使って陸上機を直接発艦できるようにしたため、大柄で背の高い箱状の構造物に変化した。この装備は射出機の実用化によって廃止されたが、構造物はそのまま残され、艦隊・戦隊司令部施設などのスペースに転用するのに都合がよかった。これによって姉妹艦の多くが、その後も水雷戦隊や潜水戦隊の旗艦任務に従事することとなる。衝突事故の修理の際に艦首形状を変更した「阿武隈」以外は見分けるのが難しく、羅針艦橋の屋根や、後部に搭載機を置くようになってから設けられた後部セルター甲板の張り出しの形状といったわかりにくい場所に目を凝らす必要がある。球磨型ほどはっきりした改造の計画も持たれなかったが、「五十鈴」は太平洋戦争後期に防空巡洋艦への改装を実施し、5500トン級としても独特の艦容となっている。

長良《ナガラ》　名取《ナトリ》　鬼怒《キヌ》

五十鈴《イスズ》　由良《ユラ》　阿武隈《アブクマ》

# 軽巡洋艦 夕張　世界を驚かせた実験艦的小型軽巡洋艦

製作／米波保之

夕張《ユフバリ》

5500トン級と同じ戦闘力をどこまで小さい艦に収めることができるかという命題のもとに試作された艦で、1923年完成。片舷に同時に指向できる砲と魚雷は同じなまま、排水量は6割弱にまとめており、わかりやすい結果が造船技術のエポックメーカーと高く評価された。実用性より建造データ収集用の性格が強い。設計上は駆逐艦扱いになっていた。

# 川内型軽巡洋艦　4本煙突となった5500トン級軽巡の最終シリーズ

製作／米波保之

川内《センダイ》

神通《ジンツウ》

那珂《ナカ》

5500トン級の第3グループ。1924～25年に3隻が完成。「那珂」は進水前に関東大震災で大破し再建造されたが、完成時期はさほど遅れず、この機会に艦首形状を変更、後に衝突事故を起こした「神通」も同様となる。海軍全体として重油の消費量を減らしたいためという理由で石炭の搭載量を増し、その影響で煙突が従来の3本から4本に増え、最新にもかかわらずかえって古めかしい形状となった。結果、「川内」は比較的容易に識別可能、「神通」「那珂」はこの2隻の間でのみ多少の慣れが必要。煙突とは無関係に武装配置も変化している。大戦間の日本海軍は主力艦隊に2個水雷戦隊が組み込まれる編成だったため、最新の川内型がその旗艦を務めることが多く、5500トン級の中でも花形の存在だった。

# 阿賀野型軽巡洋艦　艦型が一新された新時代の水雷戦隊旗艦

製作／山下郁夫

阿賀野《アガノ》

能代《ノシロ》

矢矧《ヤハギ》

酒匂《サカワ》

川内型から約17年を経て1942年に就役開始した後継艦。水雷戦隊旗艦任務の継承にほぼ的を絞られており、排水量は6600トンで若干増えたものの、主砲15cm6門と61cm魚雷発射管8門を首尾線配置とし、速力35ノット、1本煙突や単棒式マストなどで可能な限りコンパクトにまとめ上げた上部構造物と、設計手法はむしろ天龍型や「夕張」に近い。艦隊側としては長年の要望で、コンセプト自体が陳腐化していてもう少し別の作り方があったのではないかとも評されるが、このクラスが就役していなければ大戦後期の水雷戦隊は全く機能できなかったのも事実。「阿賀野」「能代」「矢矧」「酒匂」の4隻が44年末にかけて竣工。戦訓によりディテールが変化しているが、識別はなかなか難しい。

# 軽巡洋艦 大淀　潜水艦隊旗艦用、特殊用途の大型軽巡洋艦

製作／佐藤美夫

大淀《オホヨド》

潜水艦部隊の洋上指揮を目的として建造された世界唯一の巡洋艦。大戦間には5500トン級がその任務にあてられていたが、外洋上で敵艦隊を捕捉し、麾下潜水艦を攻撃配置に着けるためには航空索敵を活用すべきと考えられ、より多くの搭載機が求められた。また、計画当初は高角砲のみを搭載する案だったが、最上型重巡洋艦が新造時に搭載していた15.5cm三連装砲塔を流用することになり、丙型巡洋艦という名称が与えられた。阿賀野型より一回り大きいが、外見はそれとほぼ同じ前半部に独特の航空設備をのせた後半部を継ぎ合わせたようなスタイル。魚雷はないが秋月型駆逐艦と同じ長10cm高角砲8門を有した。搭載機自体専用のものを新造するほどの期待がかけられていたが、その新型水偵「紫雲」の開発に失敗し、巨大な射出機も無用となる。2隻の建造予定は1番艦「大淀」のみとされ、1943年完成。結果的には格納庫を利用して臨時の連合艦隊旗艦として使われるという数奇な運命をたどった。

**艦これ はみだしコラム**　謎につつまれた日本軽巡の戦時中の姿／太平洋戦争に参加した天龍型以降の軽巡洋艦の多くは大正時代に建造されたため、公試中だけでなく各地に寄港した際の写真などが多く残っているのだが、これはいわば平和だった頃の姿を写したものであり、戦中のこととなると話は別である。開戦にあたって追加された装備や戦時中に改装されたあとの艦容を伝える写真はほとんどなく、たとえ訓令工事を示した図面があったとしても、実際にその通りに完工したことの裏付けにはならない。日本軽巡はまだまだ謎が多いのである。

# 天龍型軽巡洋艦

## 日本海軍軽巡洋艦の始祖
## 旧式艦ながら輸送任務や護衛任務で活躍

**水雷戦隊旗艦用に建造された日本海軍最初の軽巡洋艦が天龍型だ。イギリス海軍の軽巡洋艦をお手本に手堅く設計された本艦はのちに日本海軍軽巡洋艦の主力となる5500トン級のルーツとなった。太平洋戦争では旧式化していたが最前線で運用され大きな戦果もあげている**

文／岩重多四郎

### 日本海軍軽巡洋艦 天龍
### 1941年

日本海軍軽巡洋艦 天龍
ハセガワ1/700
インジェクションプラスチックキット
製作／山下郁夫

建艦史の上で第二次大戦の軽巡洋艦のルーツは、1914～15年完成した英海軍のアリシューザ級とされる。石炭庫に依存した側面防御を廃して舷側装甲を設け、石油専焼缶と駆逐艦用の繊細で大出力のタービン機関を搭載することで速力も向上した。この情報を得た日本海軍も早速同様の艦を建造することにして、1915年計画で先行版の2隻が承認された。これが天龍型で、三本煙突の長船首楼型という基本形状は同じながら、アリシューザ級の15cmと10cmの混載主砲と連装魚雷発射管4基の舷側配置から、14cmの単一口径主砲4基と三連装魚雷発射管2基を全て首尾線上に配置するレイアウトに改め、装甲をやや薄くし、機関出力を大幅に増して速力を28ノットから33ノットに向上。水雷戦隊旗艦に用途の主眼を絞り込み、性能面でより特色をはっきりさせた。一つ前の筑摩型に対しては、長さがほぼ同じで幅を約2m狭め、排水量3分の2、機関出力2.3倍、速力7ノットの増加となる。魚雷発射管は敵のいる方の舷側に寄せて発射する方式だったが、移動に時間がかかりすぎて不便なため、のちに発射管をやや高い位置に固定する改修をしている。原型や在来艦に対しては顕著な進歩を示した天龍型だったが、仮想敵アメリカの海軍が同じ任務のために排水量が倍以上の7000トンもあるオマハ級を計画したため、予定していた姉妹艦6隻の追加は取りやめられた。就役後は自らが指揮する駆逐艦のサイズも大型化したことで相対的に戦力不足となり、当初の任務から撤退。太平洋戦争開始前にはふたたびイギリスの影響を受け、従来の武装を全て撤去して12.7cm高角砲8門を搭載する防空巡洋艦に改装する案も出されたが、実現しなかった。

# 天龍《テンリウ》 旧式艦ながら第一次ソロモン海戦では大活躍

日本海軍軽巡洋艦 天龍
ハセガワ1/700
インジェクションプラスチックキット
製作／山下郁夫

艦名は遠州灘にそそぐ天竜川からで、地名表記とは異なる字を用いる。横須賀工廠で1919年11月20日竣工。1928年度（27年12月～28年11月）の第1水雷戦隊旗艦を最後に主力部隊から退き、以後は大陸方面での行動が主体となる。1940年11月、第4艦隊第18戦隊に編入されて内南洋へ転じ、太平洋戦争開始とともにウェーク島攻略作戦を実施、引き続きニューギニア北東部の諸地域占領に従事。5月の珊瑚海海戦に参加。7月に第8艦隊所属となった直後、米軍のガダルカナル島侵攻があり、第一次ソロモン海戦に参加。以後も現地部隊として輸送・護衛などの任務をこなした。12月、東部ニューギニアの陸軍兵站線を確保するため西方のウエワクとマダンを占領すべく、旗艦として出撃した「天龍」は、同月18日に米潜「アルバコア」の雷撃を受け沈没した。

# 龍田《タツタ》 錬成部隊旗艦や輸送任務など裏方の地味な役割に徹する

日本海軍軽巡洋艦 竜田
ハセガワ1/700
インジェクションプラスチックキット
製作／畑中省吾

艦名は奈良県の竜田川から。小倉百人一首にも登場するが、現在とは異なる場所を指すという。佐世保工廠で1919年3月31日竣工。「天龍」の前、1927年度の第1水雷戦隊旗艦の後は遣外艦隊や佐世保警備戦隊に所属、2隻で第18戦隊を編成して太平洋戦争を迎える。珊瑚海海戦にも名を連ねたが、第一次ソロモン海戦の時はニューギニア輸送中のため参加できなかった。「天龍」の沈没後、43年4月から訓練部隊の第11水雷戦隊旗艦となる。44年3月12日、サイパン防備のための輸送作戦・東松2号船団の護衛部隊旗艦として輸送船12隻、護衛艦8隻を率いて東京を出撃したが、翌日未明、八丈島付近で米潜「サンドランス」の雷撃を受け沈没。「天龍」との見分け方はまず羅針艦橋の形状の違いを覚えることだが、細部の艤装は不明な点も多い。

## 巡洋艦の主砲

巡洋艦の砲口径はロンドン軍縮条約の規定によって、重巡洋艦が6.1～8インチ（15.5～20.3cm）、軽巡洋艦が5.1～6.1インチ（13～15.5cm）と決まっており、第二次大戦まで継承された。8インチは海外でまれに9～10インチ付近の戦艦があったこと、6インチは砲弾重量が人力で装填できる限界と見られていたのが理由と考えられる。日本では日露戦争の頃まで、主要艦艇を輸入に頼っていたため6インチ砲を用いていたが、日本人は欧米の人より体格が小さめである点を考慮し、国産の八八艦隊時代から14cm砲を多用した。砲弾重量は45kgから37kgに下がり、その分威力は落ちるが、装甲の薄い軽快艦艇を相手にする場合は手数を維持する方が重要と判断されていた。このような考え方は、当時まだ中小口径砲に動力装填を導入する考えが広まっていなかったことを示しており、大口径砲と同じ動力装填にすれば問題はなくなるはずで、「大淀」が搭載した15.5cm三連装砲塔はそうなっていた。しかし、阿賀野型は機構の複雑化と重量増大を嫌って手動装填としており、元の経緯を無視したような装備だった。

このように、重巡と軽巡の砲口径の間には一定の技術的理由があり、条約が失効してからも両者の関係が概ね維持されたが、軽巡と駆逐艦の間にはそれがなく、単に駆逐艦ぐらいのサイズで5インチより大きい砲を積んでも扱いにくいだろうという程度の基準だったため、枠を外せば容易に例外が発生した。15.2cm砲搭載の駆逐艦は第一次大戦当時からあったし、「五十鈴」や「北上」のように主砲を12.7cm高角砲と換装しても、軽巡から駆逐艦に変わるわけではない。

## 建造 天龍型軽巡洋艦模型紹介

天龍型軽巡洋艦はウォーターラインシリーズでハセガワから発売されている。太平洋戦争で戦った軽巡洋艦の中でもっとも古く小さい巡洋艦だったため長らく1973年発売の古いキットのみだったが、2015年、ついにリニューアルキットが発売された。太平洋戦争中の写真が少ない天龍型の2隻だがハセガワの新キットは最新考証を踏まえた内容で精密さと組み立てやすさを兼ね備えた内容となっている。2番艦である「龍田」は日本海軍の艦船模型の中ではじめて「縦張りリノリウム」の甲板を再現しており話題となった。

## 開戦時の軽巡の配属先

太平洋戦争開戦時に日本海軍が保有していた軽巡洋艦は天龍型2隻、球磨型5隻、長良型6隻、「夕張」、川内型3隻の17隻。このうち水雷戦隊旗艦を務めたのは比較的新しい川内型3隻と長良型2隻、「夕張」の6隻だった。真珠湾攻撃に向かった第1水雷戦隊の旗艦は「阿武隈」（長良型）、第2水雷戦隊「神通」（川内型）、第3水雷戦隊「川内」（川内型）、第4水雷戦隊「那珂」（川内型）、第5水雷戦隊「名取」（長良型）、第6水雷戦隊「夕張」となる。フィリピン攻略のために編成された第3艦隊に配属された第16戦隊には「長良」（川内型）、「球磨」（球磨型）、南洋方面防備のために新編された第4艦隊には旧式の天龍型の2隻、「天龍」「龍田」からなる第18戦隊が所属した。本土東方とアリューシャンなどの北方方面防衛に新編された第5艦隊には第21戦隊が配置され、この部隊には「多摩」（球磨型）、「木曾」（球磨型）が所属する。重雷装艦に改装された秘密兵器「北上」（球磨型）と「大井」（球磨型）は第1艦隊第9戦隊に配属された。残る3隻のうち「鬼怒」（長良型）は第4潜水戦隊、「由良」（長良型）は第5潜水戦隊の旗艦を務めていた。最後の1隻「五十鈴」（長良型）は第15戦隊に所属し南シナ海を担当する第二遣支艦隊に置かれた。

**艦これ はみだしコラム**

軽巡で編成された軽巡戦隊／本書でも骨幹として述べているように、日本海軍の軽巡洋艦はとくに水雷戦隊の旗艦として運用することを重視して建造されてきた。ところが、実際の水雷戦隊の数はせいぜい6個というのが実情だ。それでも球磨型、長良型、川内型と建造されたのは水雷戦隊旗艦としての使い勝手や短期間に刷新されていく子隊の駆逐艦に対応するため。余剰の軽巡は重巡と同じように同型艦どうしで第18戦隊や第16戦隊などを編成し、陸兵の転進に協力するなど、機動兵力として各海域で使用された。

# 球磨型軽巡洋艦

## 八四艦隊案における主力軽巡洋艦として設計された実用性豊かな水雷戦隊旗艦

**3500トンの天龍型軽巡に不満を感じた日本海軍は航洋力を上げ武装も強化した5500トン級軽巡洋艦をあらたに設計した。この最初のタイプが球磨型軽巡洋艦で5隻が建造された。太平洋戦争時にはすでに旧式化していたが重雷装艦などに改装され最前線で使用され続けられている**

文／岩重多四郎

**日本海軍軽巡洋艦 球磨**
**1935年**

日本海軍軽巡洋艦 球磨
タミヤ1/700
インジェクションプラスチックキット
製作／佐藤美夫

天龍型が仮想敵アメリカの海軍に対して力不足とわかったため、拡大型への移行が決定した。1917年当時の建造計画では、天龍型6隻と7000トン級の艦隊直衛・偵察用巡洋艦3隻を整備することになっていたが、これを中間の5000トン級に統一して9隻とするよう変更。予算的制約もあり、オマハ級より一回り小さい艦で妥協した。最初の5隻が球磨型で、設計は天龍型の拡大を基本とし、主砲を7門に増加、艦首尾方向への射撃も考慮して2門は艦橋構造物の左右に配置された。背負式は採用せず、すべて船首楼レベルに置いており、後甲板は当時日本海軍が開発していた連繋機雷（2個の浮遊機雷をワイヤーでつなぎ、海上で触雷しやすくしたもの）の搭載スペースにあてた。また、魚雷発射管の首尾線配置は不可能なので、連装4基の舷側配置とされ、1回の発射数は減少している。峯風型駆逐艦の登場などで天龍型の速力も不足となり、機関出力を9万馬力まで引き上げ、速力36ノットに向上。世界的に見ても破格の高速巡洋艦となった。一方、偵察巡洋艦としての任務にもより配慮する必要が出て、後部に水上偵察機1機を搭載した。装甲はやや甲板を厚くした程度で天龍型に準じる。

1930年代に入り、ロンドン軍縮条約の規定のもとで、日露戦争時代の旧式艦を使っていた練習巡洋艦の代役として球磨型3隻をあてる計画が進められた。この時期の近代化改装で「北上」「大井」「木曾」が搭載機用の射出機を装備しなかったのはそのためと考えられているが、結局実現しなかった。かわって太平洋戦争直前、魚雷発射管40門を搭載する重雷装艦の改装計画が浮上する。

## 球磨《クマ》 余裕のある船体設計がのちのベストセラーにつながった1番艦

日本海軍軽巡洋艦 球磨
タミヤ1/700
インジェクションプラスチックキット
製作／佐藤美夫

艦名は日本三大急流の一つ、熊本県南部の球磨川から。佐世保工廠で1920年8月31日竣工。一度も水雷戦隊旗艦になったことがなく、戦前はほとんど大陸沿岸での行動に終始した。1920年代末、煙突に雨水排出装置の初期型を装着したが、そろばん球のような奇妙な形状で、後年まで外見の大きな特徴となっていた。太平洋戦争ではフィリピン攻略作戦に従事し、そのままマニラ近辺で行動。9月、第2南遣艦隊第16戦隊に編入され、インドネシア方面で兵員・物資の輸送を繰り返す。同年中に沖輸送、夏輸送と称する陸軍部隊輸送で2度ラバウルへ入港。44年1月11日、マレーシア西岸の輸送作戦を終えてペナンを出港後、付近で英潜「タリー・ホー」の雷撃を受け沈没。敵艦が潜望鏡に竹竿を縛り付けており、ダミーかどうか疑ううちに攻撃されたという話が伝えられる。

## 多摩《タマ》 印象的な冬季迷彩をまとい北方地域を護る

日本海軍軽巡洋艦 多摩
タミヤ1/700
インジェクションプラスチックキット
製作／佐藤美夫

艦名は東京湾に流れる多摩川から。三菱長崎造船所で1921年1月29日竣工。就役後の行動は「球磨」と同様で、1年だけ潜水戦隊旗艦を務めたのも同じ。太平洋戦争開始前の41年7月、北洋担当の第5艦隊第21戦隊に編入され、戦時中は大湊をベースとして行動。ミッドウェー攻略の支作戦としてアッツ・キスカ島を占領して以後、アリューシャンまでを行動範囲とする。43年3月アッツ沖海戦に参加。7月のキスカ島撤退作戦を成功させる。以後は他方面への輸送に引き抜かれる機会が増え、44年8月に第11水雷戦隊へ転属、そのまま空母部隊に加わりレイテ沖海戦に参加したが、米空母機の空襲で損傷落後、単独避退中に米潜「ジャラオ」の雷撃を受け沈没した。「球磨」と似ているが煙突の太さは変わっていない。むしろ開戦時の冬季迷彩が代名詞となっている。

## 北上《キタカミ》 自慢の雷装を活かす機会はなかったが終戦まで残存

日本海軍軽巡洋艦 北上
フジミ1/700
インジェクションプラスチックキット
製作／米波保之

艦名は東北最大の河川・北上川から。佐世保工廠で1921年4月15日竣工。その直後に第2水雷戦隊旗艦となったほか、日中戦争開始直後に大陸派遣部隊の第3艦隊第3水雷戦隊旗艦となるなど、戦前の経歴は球磨型の中でも比較的派手だった。この間、大きな改装はされなかったものの、1番煙突のみ延長しており、識別は容易。太平洋戦争開始直後に重雷装艦への改装を完了したが、ミッドウェー海戦後は一転して地味な輸送任務に終始することとなる。44年1月、アンダマン諸島向け輸送の帰途に英潜「テンプラー」の雷撃を受け大破。応急修理を経て8月に内地着、翌年初頭まで修理改装のうえ、回天搭載艦となるが、特に行動もなく終戦を迎えた。3本煙突のままだが、雷撃で損傷した機関部の復旧をしなかったため、2軸推進、速力23ノットとなっていた。

## 大井《オホヰ》 重雷装艦へと改装されるも雷撃の機会はなく輸送任務に就く

日本海軍軽巡洋艦 大井
タミヤ1/700
インジェクションプラスチックキット
製作／米波保之

艦名は「越すに越されぬ」で有名な静岡の大井川から。ローマ字でOIとなり、意味を成す単語の最小単位。神戸川崎造船所で1921年10月3日竣工。しばらく「球磨」らと同様の行動だったが、早くも1928年から練習艦任務につき、ほとんど動かなくなった。1941年に重雷装艦へ改装されたが、それゆえ使いどころに窮したようで、ミッドウェー海戦までは船団護衛のみを実施。その後、魚雷発射管の一部を撤去して専ら輸送作戦に従事した。43年7月、南西方面艦隊第16戦隊に編入され、昭南周辺での輸送に専念。44年7月19日、マニラ輸送を終えて昭南へ回航中、米潜「フラッシャー」の雷撃を受け沈没。役務の関係もあって戦前はこれといった改装を受けておらず、重雷装艦となってからは資料ほぼ皆無と、外見にはつかみどころがない。

**艦これ はみだしコラム**

機関の不調が重雷装艦改造候補につながった??／開戦直前に海軍兵学校を卒業した少尉候補生が、自分の赴任先が「大井」であることを聞くにつけ「なんだ兵学校にあった旧式練習艦じゃないか」とがっかりし、実際に着任してみたらスーパー重雷装艦に改造されていてびっくりしたという話があるが、「大井」が練習艦に甘んじていたのは、建造を担当した神戸川崎造船所がライセンスを取得していたブラウン・カーチス式タービンの不調に起因して第一線で使えなかったからだ。重雷装艦に選ばれたのも余剰兵力の戦力化という意味が強かったのかもしれない。

# 木《キ》曾《ソ》 多摩とともに冬季迷彩が施されて北方地域で活躍

日本海軍軽巡洋艦 木曾
タミヤ1/700
インジェクションプラスチックキット
製作／米波保之

艦名は伊勢湾にそそぐ木曽川から。三菱長崎造船所で1921年5月4日竣工。「球磨」「多摩」「大井」とともに第4戦隊、のち第3戦隊を編成したが、日中戦争初期には第4水雷戦隊旗艦となる。その後は予備艦・練習艦で、太平洋戦争開始直前に「多摩」とともに第21戦隊を編成、北方作戦に従事。アッツ沖海戦には参加しなかったが、キスカ撤退には加わった。第21戦隊解隊後は横須賀鎮守府部隊所属となる。44年11月10日、レイテ沖海戦後の第2艦隊に弾薬を急送した後マニラに入港していた「木曾」は、「阿武隈」の沈没に伴い急遽第1水雷戦隊への編入を命じられた。しかし当時の旗艦「霞」がレイテ輸送から帰着する前にマニラが米軍機の大空襲を受け、「木曾」は沈没してしまった。航空機搭載型の艦橋構造物と、なぜか2本だけ「球磨」と同じ太さになった煙突が特徴。

## 必殺の重雷装巡洋艦 北上・大井

魚雷という武器はその速力や射程距離の制約から、通常の昼間砲戦の状況では使いどころが難しく、巡洋艦にとって魚雷は補助的武装ととらえられていた。日本の天龍型のような雷装重視の艦が現れたのは、水雷戦隊旗艦として駆逐艦を率いつつ自分も雷撃に参加する機会を狙ったためで、日本海軍はさらにその考え方を進め、敵艦隊にあえて夜戦を挑み、重巡まで動員して雷撃をかける構想を持っており、海外と比べて際立って巡洋艦の雷装に趣向を凝らす傾向が見られる。また、それとは逆に、酸素魚雷の破格の射程を活かし、昼間に大遠距離から雷撃をかける戦術も研究された。距離があるぶん命中率を高めるため、一度にできるだけ多数の魚雷を発射するのが望ましい。そこで、旧式化し、そのままでは戦術的価値が乏しくなっていた5500トン級の初期艦に、大量の魚雷発射管を装備する案が登場。具体的には、舷側に張り出しを設けて両側に四連装魚雷発射管各5基を置くようになっており、極めて突飛で目立つ容姿だが、敵に近寄らなければ警戒されることも狙われることもないと考えたのだろう。改装対象として、練習艦改装の案があって近代化の規模が小さかった「北上」「大井」「木曾」が考えられ、そのうち前2者が工事に着手、太平洋戦争開始とほぼ同時に完成した。この時期などからして、かなり以前から煮詰めていた構想ではないらしく、特定の1場面にしか使えない硬直しすぎた発想のデザインで、その場面以外でどうするといった担保も取っていた形跡がない。しかし、この両者は戦時中、段階的に魚雷発射管を撤去して輸送任務をこなしており、たとえ受動的でも目の前の現実に対応していった様子が見えてくる。これに対し、「北上」最終時の回天搭載仕様は、訓練母艦ないし輸送用と説明されているが、あまり効率のいい改装とは思えない。

重雷装艦の存在は以前から知られていたが、具体的なディテールを示す資料はなかなか現れなかった。前部マストの形状などは未確定で、魚雷発射管のシールドの形状は最近ようやく定説化に向かっているところ。

### 北上／軽巡 1938年

製作／米波保之

### 北上／重雷装艦 1941年

製作／山下郁夫

### 北上／高速輸送艦 1945年

製作／米波保之

## 建造 球磨型軽巡洋艦模型紹介

球磨型のうちノーマルな形状のものは現状1973年に発売されたタミヤのキットしか存在しない。非常に古いもので現在の目から見ると全長がやや短いという欠点はあるがシルエットは良好で現在でもなお通用するものである。「多摩」「球磨」が1973年、「木曾」が1983年に発売されている。残りの2艦「北上」「大井」は重雷装艦、回天搭載艦として改装された姿が3社から発売されている。ピットロードのキットは1998年発売で重雷装艦状態。まだ重雷装艦の資料が少ない時期に作られたキットだが手を加えれば現在でも楽しめる内容だろう。フジミの「北上」は2014年発売で回天搭載艦状態だというのが目を引く。青島文化教材社の「北上」「大井」は2017年発売で最新考証を取り入れたもの。「北上」は重雷装艦以外に高速輸送艦形態、回天搭載艦形態もキット化された。なおフジミからは艦NEXTシリーズとして2020年前半に「球磨」「多摩」の新キットの発売がアナウンスされている。

# 長良型軽巡洋艦

## 雷装を61cm魚雷発射管へと強化
## 水雷戦隊を率いて太平洋戦争でも活躍

**八四艦隊に基づいて建造された5500トン級軽巡洋艦の第2グループ。53cm魚雷発射管を61cmへと強化するなどの設計変更がなされた。太平洋戦争開戦時にはすでに旧式化しており旗艦任務から徐々に外されつつあったが「阿武隈」など後期建造艦は水雷戦隊を率いて戦った**

文／岩重多四郎

**日本海軍軽巡洋艦 長良**
**1944年**

日本海軍軽巡洋艦 長良
タミヤ1/700
インジェクションプラスチックキット
製作／米波保之

5500トン軽巡の第2シリーズ
1番艦、長良です。
日本海軍軽巡洋艦の最多建造艦なんですよ

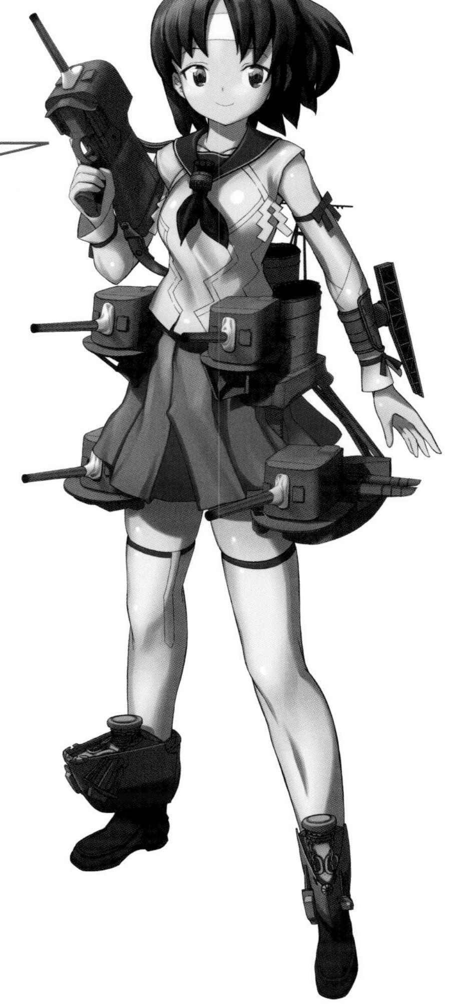

球磨型は適度な武装と優れた速力、扱いやすいキャパシティを持つ汎用型軽巡洋艦と評価された。1917年計画の巡洋艦9隻のうち、次の3隻、および1918年計画で追加承認された3隻は、魚雷発射管の口径を61cmに拡大し長良型となる。もう一つの大きな変更は航空兵装で、球磨型では後部に置いた水上機をデリックで海面発進させる手法をとっていたが、外洋作戦では不便なので別の方法が模索された結果、当時英海軍の軽巡洋艦の一部で導入された手法、すなわち艦橋構造物に格納庫を設け、その前方の滑走台から車輪付き航空機を発艦させる方式を導入することにした。これはすでに「木曾」で先行採用していたが、長良型で標準装備とされ、羅針艦橋の下が前方に膨らんだ巨大な箱状の艦橋構造物となった。しかしこの場合、英艦は北海などの近海域で発艦させれば搭載機の収容の見込みが高いのに対し、日本本土東方沖に想定される艦隊決戦海面では空母が近くにいない限りほぼ収容不可能で、極めて実用性に乏しいものだった。1930年、「由良」「鬼怒」が滑走台上に射出機の試作型を設置し、水上機の運用を実施したが、最終的に航空兵装は後部へ移され、長良型はいずれも射出機1基と水偵1機を搭載した。格納庫スペースは司令部設備に転用され、このクラスはその後も戦隊旗艦レベルの任務に重宝されることとなる。新造時の長良型の計画排水量は基準状態5170トンだが、当時一般的な尺度だったのは常備排水量で、球磨型の数値からその後のクラスもまとめて5500トン級と呼ばれる。「阿武隈」は衝突事故の修理の際、艦首形状をダブルカーブ式に変更。太平洋戦争開始前には本艦のみ魚雷発射管を酸素魚雷対応の四連装2基に換装した。

# 長良《ナガラ》 旧式艦ながら大戦中何度も水雷戦隊旗艦を務める

日本海軍軽巡洋艦 長良
タミヤ1/700
インジェクションプラスチックキット
製作／米波保之

艦名は鵜飼で知られる美濃地方の長良川から。佐世保工廠で1922年4月21日竣工。第1艦隊の巡洋艦戦隊に属する年が多く、37～39年は第5水雷戦隊旗艦。太平洋戦争開始時は第3艦隊第16戦隊所属で、フィリピンからセレベス海を南下する攻略ルートを支援。運命が大きく変わったのは42年4月10日で、空母部隊直衛のため新編された特殊な水雷戦隊・第10戦隊の旗艦となり、以後ミッドウェー海戦、第二次ソロモン海戦、南太平洋海戦、第三次ソロモン海戦と重要作戦に相次いで参加。その後の編成事情に従い第4水雷戦隊、第2水雷戦隊の旗艦も経験した。43年8月以降は後方支援に転じ、44年5月第11水雷戦隊旗艦。8月7日、鹿児島から佐世保へ回航中、米潜「クローカー」の雷撃を受け沈没した。最後まで酸素魚雷の搭載はされなかった。

# 五十鈴《イスズ》 軽巡洋艦の中で唯一防空軽巡へと改装される

日本海軍軽巡洋艦 五十鈴
フジミ1/700
インジェクションプラスチックキット
製作／米波保之

五十鈴川自体は小さいが、伊勢神宮のそばを流れている川として高い格式を持つ。浦賀船渠で1923年8月15日竣工。1925～26年度に第2水雷戦隊旗艦となった以外は「長良」と類似の行動。37年以降は第2・第3潜水戦隊の旗艦も務めた。太平洋戦争開始時は第2遣支艦隊第15戦隊、翌年4月第16戦隊。9月、「神通」の損傷を受けて第2水雷戦隊旗艦となり、同艦が復帰する1月までに第三次ソロモン海戦と南太平洋海戦に参加。第16戦隊を経て第4艦隊第14戦隊に加わり、内南洋での輸送などに従事。44年8月、新編の護衛部隊・第31戦隊の旗艦に指定され、防空巡洋艦に改装、レイテ沖海戦に参加。11月に雷撃で艦尾を損傷し、スラバヤで修理をする間に第10方面艦隊付属となったが、45年4月7日スンバワ島付近で米潜「ガビラン」「チャー」の雷撃を受け沈没。

# 名取《ナトリ》 大戦中は南方戦線に配属潜水艦との死闘の末に沈没

日本海軍駆逐艦 名取
タミヤ1/700
インジェクションプラスチックキット
製作／佐藤美夫

艦名は仙台市を流れる名取川からで、河口は阿武隈川のすぐ北側。三菱長崎造船所で1922年9月15日竣工。本艦も1928年度の第2水雷戦隊旗艦以外は第1艦隊所属が多い。40年11月、第5水雷戦隊旗艦となり、太平洋戦争直前の南部仏印進駐作戦から南シナ海周辺で行動。41年3月にはジャワ攻略作戦でバタビア沖海戦に参加。同月第5水戦は役割を終えて解隊され、「名取」は第16戦隊に編入。5月から1年近くは第2南遣艦隊の旗艦を務めた。その後各部隊を転々とし、44年5月から第3水雷戦隊旗艦。主にパラオ～フィリピン間の輸送に従事していたが、8月18日フィリピン東方海上で米潜「ハードヘッド」の雷撃を受け沈没した。長良型のうち、後部の航空機作業甲板が左舷側にあるのは「阿武隈」と「名取」だけなので、それさえわかれば見分けがつく。

# 由良《ユラ》 開戦時は潜水戦隊旗艦5500トン級最初の戦没艦となる

日本海軍駆逐艦 由良
タミヤ1/700
インジェクションプラスチックキット
製作／山下郁夫

艦名の由来である由良川は舞鶴の西に河口がある。佐世保工廠で1923年3月20日竣工。戦前は「長良」らと同じく第1艦隊の戦艦直衛が主体だったが、1940年に第5潜水戦隊旗艦となり、そのまま太平洋戦争に突入。上陸作戦の支援のほか、42年4月にはインド洋で通商破壊作戦に参加し商船3隻を沈めている。「那珂」が損傷したため翌月から第4水雷戦隊旗艦となり、ミッドウェー海戦と第二次ソロモン海戦に参加。10月25日、「川内」「天龍」らとともにガダルカナル島砲撃に向かったが、米軍機の攻撃を受け被弾大破、駆逐艦の魚雷で処分され、軽巡最初の戦没艦となった。5500トン級の中では「長良」と「由良」の判別が最も難しい。防空巡洋艦改装前の「五十鈴」は、後部マストのディテールが少し異なる点で何とか見分けられる。

**艦これはみだしコラム**

水雷戦隊？　いえ、空母護衛専門部隊です／日本海軍は艦隊編制を元にして兵力部署を発動し、作戦目的に応じた部隊を編成していた。これはえてして第1艦隊から○○、第2艦隊から××を持ってきて第1航空艦隊の空母を護衛させるという寄せ集め的運用になってしまう懸念があった。そこでミッドウェー海戦後に編成されたのが空母を基幹とする第3艦隊の編成であった。その際に加えられたのが「長良」を旗艦として子隊の駆逐隊を束ねる第10戦隊であった。水雷戦隊のような内容となっていたが、その存在は純然たる空母護衛専門部隊であった。

# 鬼怒《キヌ》 名取とともに潜水戦隊を率いて南方戦線で戦う

日本海軍軽巡洋艦 鬼怒
タミヤ1/700
インジェクションプラスチックキット
製作／米波保之

艦名は利根川の支流・鬼怒川から。神戸川崎造船所で1922年11月10日竣工。1929年度第2水雷戦隊旗艦、36年度第2潜水戦隊旗艦の他、短期間練習艦任務にも従事した。第4潜水戦隊旗艦として太平洋戦争開戦を迎え、南方侵攻作戦を支援。42年3月から「名取」とともに第16戦隊を組み、以後43年8月に内地でメインテナンスをした以外は終始西部ニューギニアからインドネシア一帯で活動。昭南（シンガポール）から西へ行くことも滅多になかった。44年10月26日、マニラからレイテ島へ陸軍部隊を輸送する多号輸送の第一陣としてオルモックへの揚陸を終えた「鬼怒」は、帰途パネイ島沖で米護衛空母部隊機の攻撃を受け沈没した。1934年の改装で本艦のみ羅針艦橋の屋根が切妻から平らな一枚板に変更されており、以後の識別は比較的楽。

# 阿武隈《アブクマ》 第1水雷戦隊を率いて長駆、真珠湾攻撃に参加

日本海軍軽巡洋艦 阿武隈
タミヤ1/700
インジェクションプラスチックキット
製作／山下郁夫

艦名は福島市から宮城県南部へ抜ける阿武隈川から。浦賀船渠で1925年5月26日竣工。初期の艦歴は姉妹艦と大差なく、1935年度第1水雷戦隊旗艦、38年第2潜水戦隊旗艦を務めた程度だが、40年11月に再び第1水戦旗艦となった後は最後までその座を守り続けた。太平洋戦争では真珠湾攻撃を皮切りに、第一段作戦を通して第1航空艦隊の直衛を担当。北方部隊に転じ、アリューシャン攻略作戦、アッツ沖海戦、キスカ撤退作戦と大きなイベントに参加。その後も千島～大湊付近で行動した。フィリピン決戦の捷一号作戦では「阿武隈」も駆り出され、西村部隊の後を追ってスリガオ海峡を目指したが、米魚雷艇の魚雷を受け損傷、後退中の10月26日に米陸軍機の攻撃を受け沈没した。川内型に準じた近代化改装を受けており、本型では別格の存在。

## 防空巡洋艦となった五十鈴

旧式巡洋艦を防空艦に転用するアイデアはイギリス発で、1938年に軽巡「コヴェントリー」「カーリュー」を改装して先鞭をつけた。天龍型や5500トン級（原典では「由良型」）の検討案もその影響による。1944年に「五十鈴」が防空巡洋艦となったのは、先例も無関係ではないだろうが、直接的には43年末の損傷で主砲3門が使用不能となったことが大きいらしい。実際の武装も、以前のプランが10cm高角砲連装7基、魚雷全廃だったのに対し、12.7cm連装3基、魚雷は逆に九三式対応の四連装2基へ強化しており、やや中途半端の感もある。対潜部隊なのに防空巡洋艦なのは、本来の旗艦予定者「由良」が沈没したことによる代役だったため。

**五十鈴／防空巡洋艦**
**1944年**

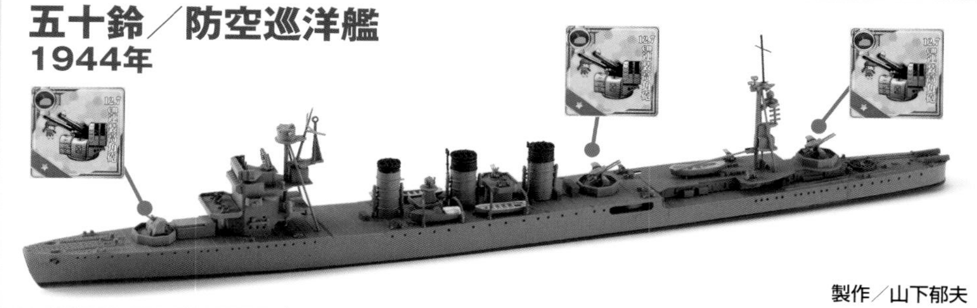

製作／山下郁夫

## 建造 長良型軽巡洋艦模型紹介

長良型軽巡洋艦は日本海軍が建造した軽巡洋艦の中で同型艦数6隻ともっとも多く建造された。いちばん古いキットはフジミがまだウォーターラインシリーズに所属していた1972年に発売したもので「長良」「五十鈴」「名取」「鬼怒」が製品化された。これらのキットは現在はほとんど流通しておらずほぼ役目を終えたキットということができるだろう。タミヤの長良型軽巡洋艦はフジミがウォーターラインシリーズ脱退後にその穴を埋める形で1992～1993年にかけて「名取」「鬼怒」「長良」「五十鈴」がキット化された。一部のパーツを先に発売した球磨型軽巡洋艦のものを流用しつつうまく特徴を捉えたキットで現在でもファンに愛されている。艦首の形状の異なる「阿武隈」も2007年にキット化され長良型軽巡はあとは「由良」だけを残す状態となっている。一方、フジミは2012年に防空巡洋艦状態となった「五十鈴」をキット化。これは2種類の考証（機銃配置について諸説ある）、それぞれに対応するため2隻セット販売となっている。
なおフジミは2020年以降に艦NEXTシリーズとして球磨型軽巡洋艦、長良型軽巡洋艦を開発することをアナウンスしている。開発途中のものを見る限り様々な最新考証を取り入れた意欲作となりそうで発売が待たれる。

# 軽巡洋艦 夕張

## 列強海軍関係者を刮目させた
## 実験艦的な重武装小型軽巡洋艦

**大量生産された5500トン級軽巡洋艦だったが、戦艦、巡洋戦艦などの予算確保のため、より小型の船体に同じレベルの武装を搭載するという提案がなされた。これを実証するために設計されたのが「夕張」である。本艦は1隻のみの建造に終わったが、この経験はのちに古鷹型重巡洋艦などに活かされていく**

文／岩重多四郎

**日本海軍軽巡洋艦 夕張**
**1942年**

日本海軍軽巡洋艦 夕張
タミヤ1/700
インジェクションプラスチックキット
製作／米波保之

1917年の巡洋艦のうち、最後の1隻「夕張」は当初の5500トン級の予定を変更し、実験的性格の強い小型艦となった。これはこの時期に活躍した造船官・平賀譲の主張によって実現したもので、5500トン級の戦闘力をどこまで小さい艦に具備できるかを確証する目的を持っていた。すなわち、5500トン級の片舷戦闘力である主砲6門と魚雷発射管4門を首尾線配置とすることで実質同等の戦術的価値を得られるという考え方で、機関出力5万7900馬力、速力35.5ノットも概ね同等、基準排水量は2890トンと6割弱にまとめており、コストダウンの効果も得られると見込まれた。詳細設計には駆逐艦のプラクティスが取り入れられ、設計番号はF42で睦月型と特型の間だった。完成時にはその成果が世界の造船関係者から称賛され、「夕張」の名は建艦史におけるエポックメーカーとして広く知れ渡る。新造時は煙突が低く扁平な印象だったが、間もなく先端を2m延長しスマートさがアップ。古鷹型、妙高型重巡洋艦へと続く平賀的、ひいては日本海軍的デザインの始点ともなった。実際は計画排水量を1割オーバーしており、試運転速力も35ノットに達せず、必ずしも設計者の思い通りとはいかなかった。また、サイズが小さくなったぶん5500トン級の持ち味である汎用性が失われ、峯風型駆逐艦より航続距離が短く、航空機も搭載できないなど、マイナス面も多く指摘されている。とはいえ、実際の「夕張」は臨時編成の小規模水雷戦隊の旗艦として有効に利用されており、大枠にとらわれなければ充分使い道のある艦だったと言えるだろう。計画時の予定艦名は「綾瀬」だった。

# 夕張《ユフバリ》 小さな艦型ながら何度も旗艦任務につく

日本海軍軽巡洋艦 夕張
タミヤ1/700
インジェクションプラスチックキット
製作／米波保之

艦名は石狩川の支流・夕張川から。佐世保工廠で1923年7月31日竣工。第1・第2水雷戦隊旗艦を何度か務めた後、1935～37年は第5水雷戦隊旗艦。40年11月から第4艦隊第6水雷戦隊旗艦となり、太平洋戦争に入ってウェーク島、ラバウル、サラモア占領作戦に従事、珊瑚海海戦に参加。7月に内南洋海上交通保護を担う第2海上護衛隊に編入されたが、直後の第一次ソロモン海戦に参加。43年7月ブインで触雷損傷し、復帰直後に「川内」沈没の後を継いで第3水雷戦隊旗艦となるも、再び敵機の攻撃で損傷。戦隊司令部は乗艦を失い陸上へ上がる。復帰後の44年4月27日、パラオ南方のソンソル島に陸兵を揚陸した帰途、米潜「ブルーギル」の雷撃を受け沈没。米潜はそれまでも何度か「夕張」の目撃を報告していたが、それらは秋月型駆逐艦の見間違いだったという。

## 3000トン未満の船体に5500トン級巡洋艦並の武装を積んだ実験艦

### 天龍型

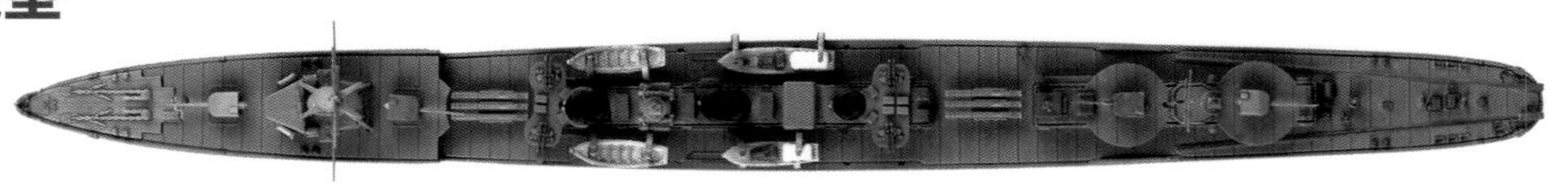

基準排水量3230トン
全長142.65m
14㎝主砲4門
53㎝3連装魚雷発射管2基6門

### 長良型

基準排水量5170トン
全長162.15m
14㎝主砲7門
（模型写真は1944年の姿で主砲5門とし対空火器を強化している）
61㎝連装魚雷発射管4基8門

### 夕張

基準排水量2890トン
全長138.99m
14㎝主砲6門
61㎝連装魚雷発射管2基4門

「夕張」建造の動機となったのは、本文の通り片舷砲力の考え方。5500トン級は主砲7門・魚雷発射管8門を持つが、同時に1目標へ指向できるのはどちらか側面に対する砲6門、発射管4門で、あとは無駄になるというもの。武装のレイアウトは艦艇にとって永遠のテーマで、戦闘中の激しい動きの中では理屈だけでは通用しない、左右から挟み撃ちにあったらどうするか、敵に早く近づきたい、あるいは逃げたいときに側面を見せるのは不条理で、好みの戦術によっては艦首・艦尾の正面方向への指向火力を重視すべきだ、などの意見とも併せて考える必要があり、平賀譲はあくまで側面火力に割り切った考え方を主張していた。「夕張」の成功のポイントは背負式配置の採用にも一因があるが、単装砲と連装砲の混載のうち、重量の大きい連装砲を上にしている点に注意。これは幅が広い船体中央寄りの方が給弾の便がいいからという理由で平賀が戦艦の設計にも強く推していた方式で、ある意味彼のパーソナリティーをうかがい知るキーポイントの一つといえそう。

## 建造 軽巡洋艦夕張模型紹介

タミヤの「夕張」は1984年のキットですでに発売から35年経過したベテラン。ただ古いキットとはいえエッジの効いたモールドで他社の最新キットと比べても遜色ない名作だ。シルエットも大きな問題はないが時代的に細部はあっさりしている。この点は近年、艤装品はアフターパーツも充実しているため好みに応じて手を加えればいいだろう。キットは1944年の対空兵装強化後の姿のため第一次ソロモン海戦時など大戦前半の状態で作るために武装などを変更する必要が生じる。なお「夕張」はピットロードからも完全新金型のキットがアナウンスされている。最新考証を取り入れたものとなるようで発売が待ち遠しい。

## 巡洋艦の雷装

天龍型や球磨型が装備した魚雷は同時期の世界標準だった直径53.3cm（21インチ）で、魚雷・発射管とも型式は六年式と呼ぶ。天龍型の三連装発射管は動力旋回なのに対し、球磨型は手動で、1基あたり重量は半分以下だった。長良型以降61cm魚雷を採用。当初は六年式を拡大した八年式を使っていたが、間もなくホワイトヘッド社から購入したものを発展させた九〇式に更新。巡洋艦が搭載した発射管は連装の八年式。もちろんサイズは大きくなったが、長良型の船体には修整が加えられていない。酸素魚雷として知られる九三式魚雷は1935年制式制定、艦隊には1938年から支給が始まった。そのため軽巡への搭載は、それ以降に改装された「阿武隈」「神通」「那珂」、重雷装艦「北上」「大井」、戦時改装の「五十鈴」、新造の阿賀野型に限られる。発射管はいずれも九二式で、巡洋艦用の一型は手動旋回だったが、阿賀野型を見る限り駆逐艦用の二型を積んだものもあっただろう。九〇式魚雷と九三式魚雷は長さが50cm異なるほか、酸素発生装置などの付随機器が必要なため、単純な魚雷だけの積み替えはできず、発射管をそのままで所要の改修を施した例は知られていないようだ。

**艦これ はみだしコラム**

ソロモン海の行動は軽巡には荷が重い?／大正時代以来、日本海軍の水雷戦隊は旗艦である軽巡洋艦に司令官が座乗し、駆逐隊の指揮をとって敵大型艦の撃沈を狙うのを主任務としていたが、太平洋戦争において、とくにガダルカナル島をめぐる戦いで現出した状況はかつて想像し得ないものだった。とくに制空権を取られ、各島嶼への援軍や増援物資を駆逐艦による鼠輸送に頼らざるを得ない状況となると大柄な軽巡洋艦はむしろ使い勝手が悪いとして、水雷戦隊司令部は駆逐艦に将旗を移揚して指揮をとっている。

# 川内型軽巡洋艦

## 精鋭水雷戦隊を率いて戦った 5500トン級軽巡の第3グループ

**量産された5500トン級軽巡洋艦の掉尾を飾った川内型軽巡洋艦。外見的には4本煙突となり水上機運用のためのカタパルトが装備された。重巡洋艦の建造を優先するため後継となる軽巡洋艦の就役が遅れた結果、太平洋戦争開戦後も水雷戦隊の旗艦を務め、夜戦で大戦果を挙げるなどの活躍をみせた**

文／岩重多四郎

**日本海軍軽巡洋艦 川内**
**1939年**

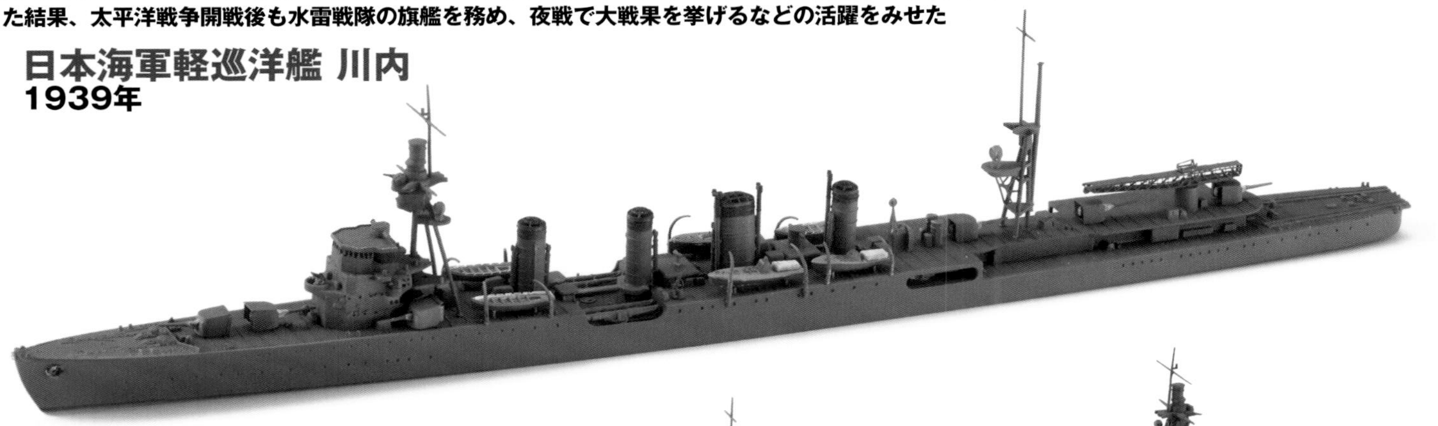

日本海軍軽巡洋艦 川内
青島文化教材社1/700
インジェクションプラスチックキット
製作／米波保之

1920年、八八艦隊計画は予算面で最終段階を迎え、5500トン級は8隻が追加されることとなった。この段階で日本海軍は就役艦数の増大による燃料消費、とりわけ石油のそれが心配になり、5500トン級は燃料に占める石油の割合を減らし石炭を増やすよう設計変更が加えられ、缶の構成の都合から最新にもかかわらず煙突が4本に増え、時代に逆行するような変化となった。これが川内型となるが、2年後のワシントン軍縮条約締結を受けて姉妹艦は3隻にとどめられ、残り5隻分の予算は古鷹型、青葉型4隻に振り替えられた。煙突以外にも魚雷発射管や後部主砲などの配置変更も実施。建造中関東大震災にあい、再建造された「那珂」は、5500トン級で最初にダブルカーブ型艦首を採用。衝突事故を機に「神通」も同様となる。大戦間の連合艦隊は主力艦隊直衛の第1水雷戦隊と敵艦隊攻撃の第2水雷戦隊を組んでいたことから、主に川内型が交代でその旗艦を務め、諸装備の近代化も積極的に進められた。「神通」は1931年に滑走台への射出機装備を実施。3隻とも33～34年の改装で後部に射出機を装備（「神通」は前部の射出機を撤去）、7番主砲を後方へ移設。「川内」は艦橋構造物を若干縮小し、その後「那珂」も羅針艦橋の形状を変更。太平洋戦争開始直前に「神通」「那珂」は魚雷発射管を酸素魚雷対応の四連装2基に換装した。その他、艦橋上の測距儀や後部マスト中段の探照灯の大型化など、細部の更新を実施。四本煙突の原因となった石油・石炭混焼缶も重油専焼に改めたが、各種改正で重量が増加した結果、速力は33ノット程度まで低下し、乾舷（水面から甲板までの舷側の高さ）も減少している。

# 川内《センダイ》 水雷戦隊旗艦として数々の夜戦を転戦

日本海軍軽巡洋艦 川内
青島文化教材社1/700
インジェクションプラスチックキット
製作／米波保之

艦名は鹿児島県西部を流れる川内川から。三菱長崎造船所で1924年4月29日竣工。1930年以降たびたび第1水雷戦隊旗艦を務めたが、太平洋戦争では終始第3水雷戦隊旗艦だった。マレー上陸作戦を護衛し、エンドウ沖海戦で初めて敵駆逐艦と交戦。ミッドウェー海戦の後インド洋方面の交通破壊作戦にあたっていたが、米軍のガダルカナル島上陸を受け、陸軍川口支隊をのせた「佐渡丸」らを護衛しラバウルへ急行、以後この方面で行動する。第三次ソロモン海戦に参加。43年5～6月に佐世保で整備、再びラバウルに戻り中部ソロモン諸島での輸送作戦にあたっていたが、11月2日ブーゲンヴィル島沖海戦で米艦隊と交戦し撃沈された。川内型3隻の識別は比較的簡単で、このうち「川内」は沈没前月の写真が残っており、21号レーダーの装備などがわかる。

# 神通《ジンツウ》 日本海軍最強“華の二水戦”旗艦として戦う

日本海軍軽巡洋艦 神通
青島文化教材社1/700
インジェクションプラスチックキット
製作／米波保之

艦名の由来である富山湾沿岸の川はじんずう川と読むが、艦名はじんつう。神戸川崎造船所で1925年7月31日竣工。艦歴を通して第2水雷戦隊旗艦の時期が長く、日本水雷戦隊のリーダーと言えばまず「神通」というほどのイメージバリューを持つ。太平洋戦争はダバオ攻略から始まり、東部インドネシア方面の占領に従事。初の本格的艦隊戦であるスラバヤ沖海戦に参加。ミッドウェー海戦の後、ガダルカナル島を巡る戦闘にも早い段階で参入したが、8月25日に敵機の攻撃で損傷、年内を修理に費やす。同島撤収作戦から復帰、しばらく輸送任務に従事したが、43年7月12日コロンバンガラ沖で米艦隊と交戦。探照灯をつけて敵艦の集中攻撃を受け沈没した。川内型では本艦のみ羅針艦橋の平面形状変更をしていない。最近、潜水調査で本艦の船骸が発見されている。

# 那珂《ナカ》 第4水雷戦隊旗艦を務めた5500トン級軽巡の末っ子

日本海軍軽巡洋艦 那珂
青島文化教材社1/700
インジェクションプラスチックキット
製作／山下郁夫

艦名は鹿島灘に出る那珂川から。福岡の同名河川ではない。横浜船渠で1925年11月30日竣工。戦前は「神通」と交代で第2水雷戦隊の旗艦を多く務めたが、1939年末から「2つ目の第2水雷戦隊」である第4水雷戦隊の旗艦を担当。太平洋戦争ではダバオからボルネオ島東部を南下する攻略ラインを支援。バリクパパンで米駆逐艦の活躍を許す。「神通」とともにスラバヤ沖海戦に参加。42年4月1日クリスマス島沖で米潜「シーウルフ」の雷撃を受け損傷、修理後も結局水雷戦隊旗艦に戻ることはなく、第14戦隊で内南洋の輸送任務に従事。44年2月17日、トラック島から被雷した「阿賀野」の救援に向かおうとしたところを米空母機に捕捉、撃沈された。修理時に5番主砲を12.7cm連装高角砲に換装したほか、最近になって第1煙突が短縮されたとする説が出た。

## 建造 川内型軽巡洋艦模型紹介

川内型軽巡洋艦は1973年にフジミから発売された古いキット（「神通」「那珂」）があるが現在ではほとんど流通していない。現行のキットとしては2007～2008年に青島文化教材社から発売されたのが主流だ。5500トン級軽巡の中で「川内」のみ発売が遅れた理由は艦首の形状にある。「川内」のみスプーンバウで残りの2隻と異なるからだろう。
青島文化教材社のキットは2000年代以降のキットのためこの船体の違いも別金型を起こして再現している。モールドもシャープでパーツもほどほどの点数に抑えられており艦船模型初心者の入門用キットとしてもおすすめだ。なお日本海軍の艦船模型キットの大半は太平洋戦争中のものを再現したものだが青島文化教材社の川内型には昭和初期、1933年代の状態を再現したバリエーションキットも存在する。後部のカタパルトを搭載する以前、艦橋前部に航空機滑走台やカタパルトを設置したクラシカルな姿で艦橋など新規パーツが付属する。流通量は少ないため気になる人は見かけたときに購入しておこう。

**艦これはみだしコラム** 本来の由来とは違う読み方の艦名／日本海軍の軽巡洋艦（厳密にいうと艦種類別等級で二等巡洋艦と定めているもの。重巡洋艦でも最上型や利根型がこれに該当する）の艦名は河川名に由来するというのがその命名基準だが、なかにはその元になった河川名と読み方が違うものがある。川内型の「神通」がそれで、岐阜県と富山県を流れて富山湾へと注ぐ「神通川」がその由来だが、この読みは「じんづう・がわ」、あるいは「じんずう・がわ」と表記され、艦名の「じんつう」とは異なっている。

# 阿賀野型軽巡洋艦

## 17年ぶりに建造された 新世代の水雷戦隊旗艦用軽巡洋艦

文／岩重多四郎

**川内型3隻建造ののちは重巡洋艦建造を優先するため更新の遅れた水雷戦隊旗艦用軽巡洋艦だったが、軍縮条約破棄後の新鋭駆逐艦が就役してくるとその設計の古さが目立つようになってきた。そのためこれらを更新するために設計されたのが阿賀野型4隻となる。これまでの軽巡から一新されたスマートなシルエットが特徴だ**

**日本海軍軽巡洋艦 阿賀野**
**1942年**

日本海軍軽巡洋艦 阿賀野
フジミ1/700
インジェクション
プラスチックキット
製作／山下郁夫

次世代の水雷戦隊旗艦として
設計された阿賀野型軽巡
自慢のボディに注目してね、きらりーん！

八八艦隊計画のもとで5500トン級軽巡を一挙14隻建造した結果、当分のあいだこのカテゴリーの艦を建造する必要がなくなったが、1930年代末にはそれらの老朽化と近代化改装による速力・凌波性低下が次第に顕著となってきた。軍縮期間明けの直後に大和型戦艦や翔鶴型空母の建造を開始した第三次補充計画でも軽巡洋艦は含まれず、次の第四次補充計画（1939年計画）でようやく阿賀野型4隻が承認された。待望の水雷戦隊旗艦の更新ということで、設計の眼目はほぼその点のみに絞られていた。サイズの拡大を極力避けたうえで5500トン級を上回る攻撃力と航空機搭載能力を備える要求のもと、主砲15cm連装3基、魚雷は61cm酸素魚雷の四連装発射管2基でいずれも首尾線上に配置、後者には駆逐艦と同様の次発装填装置を付与し、射出機1機と搭載機2基を運用する作業甲板を備えた。船体は平甲板型式を採用。煙突は1本にまとめ、後部マストを単棒式にしたのも艦上のスペースを節約するためだった。機関出力10万馬力、速力35ノット。排水量は要求値の6000トンを1割超えたが、それ以外は軍令部の要求を満たしていた。また、この時期の計画艦の特徴として長砲身の高角砲を搭載しており、艦橋構造物側面に65口径8cm連装高角砲を置いた。全体としてはまさしく5500トン級のリニューアルであり、伝統的な艦隊水上戦闘様式に則った水雷戦隊の旗艦としてはかなり良くまとまった設計だった。結果としてそれは旧態依然とした発想で、航空機が大きく幅を利かせる第二次大戦の実情には適合していなかったのだが、大戦後期の艦隊編成にあっては必要不可欠なピースを埋める艦なのも事実だった。

# 阿賀野《アガノ》 登場が遅すぎた新世代の水雷戦隊旗艦

日本海軍軽巡洋艦 阿賀野
フジミ1/700
インジェクションプラスチックキット
製作／山下郁夫

艦名は新潟市で日本海へ出る阿賀野川から。佐世保工廠で1942年10月31日竣工。「長良」にかわって第3艦隊第10戦隊の旗艦となり、12月1日トラック着。ウエワク・マダン上陸とガダルカナル撤退の支援に従事、その後は内地へ戻って訓練整備を続けた。7月に再びラバウルへ進出。9月の米軍ギルバート諸島侵攻の際は空母に随伴してブラウン環礁まで出た。11月2日ブーゲンヴィル沖海戦に参加、戦果はなかったが損傷もなく帰投。12日、トラックへ引き揚げる途上で米潜「スカンプ」の雷撃を受け大破、「能代」「長良」の曳航でトラックに着き、応急修理の上2月16日発、内地を目指すも、再び米潜「スケート」の雷撃を受け沈没した。「阿賀野」は姉妹艦で1隻のみ艦橋遮風板が大規模で、違いが印象に残りやすい。

# 能代《ノシロ》 レイテ沖海戦では水雷戦隊を率いて敵護衛空母に肉薄

艦名の由来の川は一般的な日本地図になく、秋田県北部の米代川の別名。横須賀工廠で1943年6月30日竣工。横廠製の軽巡は「天龍」以来。7月に「神通」が沈没し、暫定的に「長良」が担っていた第2水雷戦隊旗艦を引き継いだ。しかし海戦を経験する機会はなかなか来ず、南東方面、次いで南西方面で行動。ビアク島迎撃作戦（渾作戦）の中止を経てマリアナ沖海戦、レイテ沖海戦と相次いで参加したが、レイテ沖から避退中に米空母機の攻撃を受けて沈没した。「能代」は本型の中で1隻のみ建造所が異なるが、「矢矧」との間に目立つ違いはない。44年初頭の修理でいくらかディテールが変わったともいう。

# 矢矧《ヤハギ》 第2水雷戦隊を率いて大和とともに出撃

日本海軍軽巡洋艦 矢矧
タミヤ1/700
インジェクションプラスチックキット
製作／米波保之

艦名は三河湾に出る矢作川のことで、矢矧は古い表記。佐世保工廠で1943年12月29日竣工。ただちに「阿賀野」と交代し第10戦隊旗艦となったが、すぐには準備が整わず、翌年2月に昭南へ進出、リンガで主力と合同し訓練に従事。マリアナ沖海戦のあと内地に戻るが、早くも7月上旬に出撃しリンガに戻る。「大和」以下の戦闘部隊である第1遊撃部隊に属し、レイテ沖海戦に参加。11月、多号第三次輸送で第2水雷戦隊司令部が壊滅状態となったため、第10戦隊を解隊して司令部をそのまま第2水戦に改編する措置が取られ、「矢矧」も「能代」の穴を埋めるべく旗艦を継承した。同月中に内地へ戻り、瀬戸内海西部で待機、45年4月6日、沖縄特攻の天一号作戦のもとで「大和」に随伴し出撃するが、翌7日に米空母機の攻撃により沈没。

# 酒匂《サカワ》 日本海軍で最後に建造された軽巡。出撃の機会に恵まれず

艦名は御殿場市から小田原市に流れる酒匂川から。佐世保工廠で1944年11月30日竣工。軽巡には大戦末期に建造中止されたものはなく、「酒匂」が文字通り最後の軽巡。翌年1月に第11水雷戦隊旗艦となった後、3月26日付で第1遊撃部隊に編入されたが、結局沖縄へ行くことはなく、「大和」沈没後の4月20日に第11水戦へ復帰、のち舞鶴鎮守府部隊となり、無傷で終戦を迎えた。戦後引揚輸送を経て原爆実験に供され沈没。新造時から対空兵装を大幅に強化しており、その後も機銃を追加し最終的には61門を装備したという。飛行作業甲板の一部を切り欠くなどの変更も見られる。

## 建造 阿賀野型軽巡洋艦模型紹介

阿賀野型のキットは長らくタミヤ製のキットのみ存在した。タミヤの阿賀野型は「阿賀野」「矢矧」が1972年に発売されている。古いキットではあるがウォーターライン初期の名作キットと呼ばれるとおり現在でも充分通用する内容だ。フジミからは特シリーズとして「阿賀野・能代」「矢矧・酒匂」「矢矧 昭和20年」の3キットが2015年に発売された。「阿賀野・能代」「矢矧・酒匂」はそれぞれどちらかの艦が製作可能なコンバーチブルキット。「矢矧・酒匂」の「矢矧」はレイテ沖海戦時のものとなるので最終時のキットを作るためには「矢矧 昭和20年」を購入する必要がある。いずれも最新考証を反映した精密な内容のキットだ。

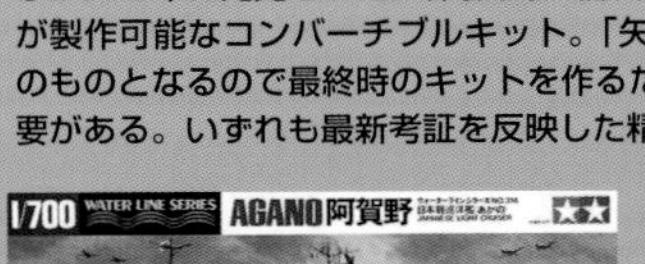


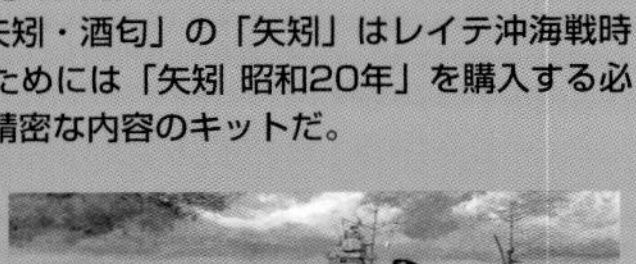

## 最上型軽巡洋艦？

ロンドン軍縮条約には軽巡の制限枠に若干の余裕があったが、日本海軍は軽巡にはあまり切迫感を持っておらず、重巡の方が欲しかったので、規定を逆手にとって、軽巡として建造し後で20cm砲に積み替える策を考案。これが最上型で、あとのことを考えて重巡に相当するサイズで作られていた。15.5cm主砲の完成度が高く、主砲の換装を惜しむ声も根強い。英米はこれに驚いて対抗する大型軽巡を作ったが、やはり後付けの割には有効に使っており、とりわけ米大型軽巡の急射撃は日本水雷戦隊の脅威となった。

# 軽巡洋艦 大淀

## 新兵装を満載した
## 潜水艦隊旗艦任務用の大型軽巡洋艦

**水雷戦隊旗艦用に建造された阿賀野型とほぼ同時期に建造された「大淀」は潜水艦隊旗艦用というこれまでの日本海軍にはない任務を担うものだった。高速の新型水上偵察機「紫雲」を運用するべく設置された巨大なカタパルトと格納庫は従来の巡洋艦とは一線を画するデザインで戦後水上艦の魁となるものと言えよう**

文／岩重多四郎

**日本海軍軽巡洋艦 大淀**
**1943年**

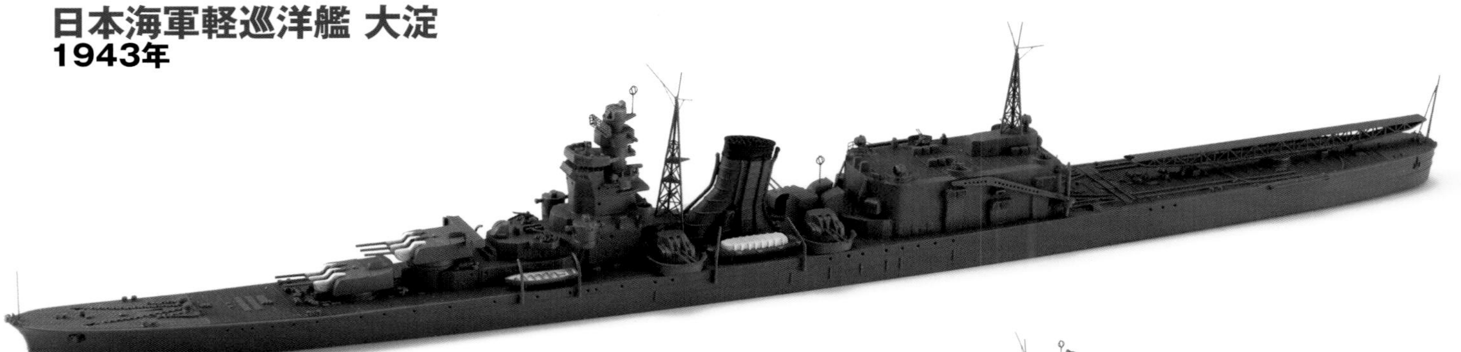

日本海軍軽巡洋艦 大淀
青島文化教材社1/700
インジェクションプラスチックキット
製作／佐藤美夫

新開発の新鋭水上偵察機を
運用するべく設置した大型カタパルトと
格納庫をご覧ください

1939年計画では阿賀野型の他に2隻の軽巡洋艦があった。これは潜水艦隊旗艦専用という極めて特殊なニッチの艦で、日本海軍では重巡洋艦（巡洋艦甲）、軽巡洋艦（巡洋艦乙）と分けて巡洋艦丙というカテゴリーを与えていたが、世界的に他に類を見ない。これは米海軍との艦隊決戦に潜水艦をどう有効利用するかを研究する過程で生まれたもので、真珠湾を出撃する米艦隊を潜水艦部隊の警戒ラインで捕捉し、集中攻撃をかけて戦力を減衰させるうえで、搭載機で索敵をサポートし、なおかつ各艦の行動を統括する旗艦役の必要性が提唱されたのだった。戦前は5500トン級を用いていたが、航空機の搭載能力に欠けるため専用の艦が要求された。当初案では高角砲のみを搭載する移動司令部で、普通の空母や半空母的な航空巡洋艦の案も検討されたものの、最上型重巡洋艦が以前装備していた15.5cm三連装砲塔2基を流用した水偵搭載型巡洋艦で決着。高角砲は秋月型駆逐艦と同じ65口径10cm連装砲4基を両舷に搭載した。船体前半のレイアウトはほぼ阿賀野型を踏襲し、その後方に大型格納庫を設置。搭載機として強行偵察用の高速水偵「紫雲」を新開発し、艦の後部にそれを発艦させる全長44mの巨大射出機を置いた。太平洋戦争開戦に伴い1番艦「大淀」のみ建造されたが、「紫雲」の開発失敗に加え肝心の艦隊決戦が起こらず、丙巡構想は企画倒れに終わる。「大淀」はその後、格納庫を司令部施設に改造して臨時の連合艦隊旗艦任務についた後、レイテ沖海戦から前線に進出。巡洋艦不足を補う貴重な戦力となった。

# 大淀《オホヨド》 日本海軍で唯一魚雷発射管を装備しなかった軽巡洋艦

日本海軍軽巡洋艦 大淀
青島文化教材社1/700
インジェクションプラスチックキット
製作／佐藤美夫

艦名は宮崎市を流れる大淀川から。呉工廠で1943年2月20日竣工。呉廠製の巡洋艦は条約型重巡3隻を除くと明治の「対馬」と本艦のみだった。当初は第3艦隊に属し、しばらく近海で行動ののち、7月から「阿賀野」と同行し南方へ向かい、空母部隊のブラウン環礁進出にも随伴したほか、トラックを中心にラバウルやカビエンで行動。44年3月に連合艦隊旗艦工事を実施、4月から9月まで同任務につく。翌月、第3艦隊に戻りレイテ沖海戦（エンガノ沖海戦）に参加、空母「瑞鶴」から艦隊司令部を引き取り内地着。翌月第2艦隊付属となり南西方面へ出撃、12月26日ミンドロ島攻撃（礼号作戦）参加。その後昭南へ移動し、戦艦「伊勢」「日向」とともに内地向け物資輸送（北号作戦）を実施。45年7月24・28日の呉空襲で大破横転し、そのまま終戦を迎えた。

## 連合艦隊旗艦として使われた大淀

新造時の「大淀」は専用水偵「紫雲」の運用を前提としており、前後が約25mの格納庫と長さ44mの2式1号10型射出機、複雑に走る運搬軌条からなる独特の設備を有した。水偵の定数は6機で、格納庫には5機が入ることになっていたが若干怪しい。背面がどうなっていたかは確定していない。阿賀野型も含め、一般的な航空艤装では搭載機の運搬台車を滑らせるだけで射出機に乗るようになっていたが、「大淀」は格納庫の高さをおさえるためそれができず、射出機の前に台車1基分のジャッキがあった。大型射出機は「紫雲」が高速発揮を主眼としており、そのぶん失速速度も大きかったために必要とされたもの。「大淀」が連合艦隊旗艦に指定されたのは、もともと潜水艦隊旗艦任務の都合で通信設備が優れていた点もあり、ただ格納庫があっただけではない。背面は閉鎖され、内部を3階に仕切って諸施設を設けたが、最上階はほとんど空いたままだったという。射出機は一般的な長さ19.4mの呉式2号5型と換装し、搭載機も2機に減らして、諸設備は艦尾付近にコンパクトにまとめられた。

## 巡洋艦搭載の水上機

5500トン級が建造された1910年代末は、艦隊索敵能力を高める手段としての搭載機の運用が広く認知されつつあった時期で、具体的にどのような機体をどう運用するかが模索されていた。運用面の試行錯誤はともかく、結局は車輪付き飛行機を帰着させる手段がないため、搭載機は水上機とする方向で落ち着く。日本海軍では偵察用で航続距離の長い三座（3人乗り）水偵と、弾着観測、場合によっては敵水偵の排除も任務とする二座水偵を並行整備しており、軽巡の場合は前者の一四式、のち九四式水偵を使うのが基本だが、大陸方面では限定的な戦闘機・爆撃機としても使える複座の九五式水偵も好まれた。また、1930年代後期には水雷戦隊旗艦用として九六式・九八式水偵も出現。夜間運用を前提として安定性と航続距離を重視し、飛行艇スタイルをとっていた。任務の特殊性から生産数が少なく、汎用性の高い通常の三座水偵の方が有用として、太平洋戦争初期までで退役している。また、1940年代には三座・二座水偵の代替機種である零式水偵と零式観測機が登場するが、5500トン級には使われなかったようで、阿賀野型や後期の「大淀」が前者を使用。大戦後期の次世代機種「瑞雲」は軽巡には搭載されていない。

## 建造 軽巡洋艦大淀模型紹介

「大淀」は1979年発売のフジミのものが古くから存在する。このキットは現在でもエッチングパーツを追加したものが再販されるケースがある。おもに模型店などで流通しているのは青島文化教材社が2009年に発売したキット。定番商品は連合艦隊旗艦時の1944年バージョンだが、新造時の大型カタパルトを搭載した1943年バージョンのキットも限定商品として発売している。比較的新しいキットでモールドもシャープ、パーツ数もほどほどの点数で初心者でも作りやすい内容だ。

## 巡洋艦の艦首形状と機雷

八八艦隊計画の艦艇はほぼすべて、艦首のシルエットが円弧の4分の1をなすスプーン型と呼ばれる形状を取っている。これはP10で紹介した連繋機雷と関係するもので、万一自分がその敷設海域に侵入してしまった場合でも、機雷をつなぐワイヤーの上を乗り切って自爆を防ぐ目的だった。その後、凌波性改善のため水面上の形状が改善され、上端を広げたダブルカーブバウが導入されたが、水面下は変わっていない。クリッパーバウなどと比べると、やや船の保針性能に影響があったようだ。この連繋機雷は日露戦争時代の名参謀として知られる秋山真之が考案したと言われるが、実際に演習で使ってみるとほとんど効果が得られないとの結果が出て、短期間で廃れてしまった。

長良

阿武隈

# 香取型練習巡洋艦

## 未来の乗組員を育てる 居住性抜群の新鋭練習巡洋艦

文／岩重多四郎

**従来、士官候補生の遠洋航海実習には旧式巡洋艦を用いたが、開戦直前に新型の巡洋艦を建造、この任務に充てることになった。これが香取型練習巡洋艦である。3隻建造された本型は太平洋戦争勃発によりその優秀な通信設備や居住性が買われて艦隊の旗艦任務に就いている**

**日本海軍練習巡洋艦 香取**
**1941年**

日本海軍練習巡洋艦 香取
フルスクラッチビルド1/700
製作／米波保之

練習巡洋艦として建造された
香取型です。
船団護衛や旗艦任務もおまかせください

巡洋艦の用途は様々だが、外洋を行動する艦という字義に従うと、士官候補生の遠洋航海実習に用いる艦艇もこれに含まれる可能性がある。実際、この任務では訪問する外国に対する儀礼や国威のアピールのために戦闘艦艇を用いることが多く、日本海軍でも長らく第一線をリタイヤした旧式巡洋艦を充当していた。それはそれで候補生に伝統意識を持たせる効果もあっただろうが、1930年代後半には当時使っていた日露戦争時代の装甲巡洋艦が老朽化し、球磨型の改装も実現せず、艦の手当てがつかなくなる恐れが出た。海外にはフランスの「ジャンヌ・ダルク」のように遠洋航海用の巡洋艦を新造する例もあり、日本もこれに倣って練習艦香取型4隻の新造を決定、あらためて艦種類別に正式に練習巡洋艦を加えた。基準排水量5890トン、主砲14cm4門、53cm魚雷発射管4門は確かに巡洋艦の要目だが、実態は商船構造の非戦闘艦艇で、教材を兼ねてタービンとディーゼルを両方搭載しているものの速力は18ノットしか出ず、装甲も皆無。任務の都合で軍艦ぽい体裁をとっているが、1隻あたりの建造費は甲型駆逐艦の7割程度で、映画のセット的な要素の装飾的デザインと見ることもできる。国際情勢の悪化から4番艦は建造中止され、「香取」「鹿島」が1940年度の遠洋航海（といっても大陸沿岸のみ）を実施したところで当初の任務は終わりを告げる。ただ、このような事態は想定の範囲内で、その後は「香取」が第6艦隊（潜水艦部隊）、「鹿島」は第4艦隊（内南洋警備）、「香椎」は南遣艦隊の旗艦として活用。太平洋戦争後期には残存していた「鹿島」「香椎」が対潜護衛部隊の旗艦となり、巡洋艦の名に恥じない実績を残している。

# 香取《カトリ》

## 開戦時は潜水艦隊旗艦 その後、海上護衛総隊に編入

日本海軍練習巡洋艦 香取
フルスクラッチビルド1/700
製作／米波保之

香取型の艦名は神社からとられており、香取神宮は千葉県北東部にある古社で、経津主神（フツヌシ）という武神を祭っている。「香取」「鹿島」は大抵セットで扱われる名前で、先代にあたる戦艦や民間の客船でも同様だった。三菱横浜造船所（旧横浜船渠）で1940年4月20日竣工。旅順・大連・上海までで唯一かつ名ばかりの遠洋航海を終えた後、11月付で潜水艦部隊の第6艦隊に編入、翌年5月から旗艦となる。太平洋戦争初期は部隊指揮のため前線基地クェゼリンにいることが多く、42年夏以降は内地での整備以外専らトラックに在泊した。44年2月15日、海上護衛総司令部に転属となり、対潜護衛艦への改装のため17日に出港したが、その直後から大空襲が始まり、さらに米戦艦「ニュージャージー」「アイオワ」らの艦隊も出現、あえなく撃沈された。

# 鹿島《カシマ》

## 太平洋戦争を無事生き延び引揚輸送に活躍

艦名の由来である鹿島神宮は茨城県南部にあり、武神・建御雷神（タケミカヅチ）を祭る。三菱横浜造船所で1940年5月31日竣工。太平洋戦争に際しては内南洋を統括する第4艦隊旗艦となり、「香取」と同じくトラックに滞在。一足早く43年11月に引き揚げ、いったん兵学校練習艦任務に戻ったが、夏以降は輸送に従事、年末から対潜護衛艦への改装を実施したが、すでに海上交通路が逼迫しており、上海以北での行動にとどまった。無傷で終戦を迎え、その後も引揚輸送艦として活躍している。香取型は同じ造船所で同時期に建造されているだけあって、玄人でも見分けるのは難しい。

# 香椎《カシイ》

## 南遣艦隊旗艦を経て対潜掃討艦へと改装

香椎宮は現在の福岡市東部にあり、仲哀天皇・神功皇后廟が形態を変えたもの。三菱横浜造船所で1941年7月15日竣工。間もなく南遣艦隊旗艦となり、サイゴン（現ホーチミン）へ進出。太平洋戦争開始直後は戦況の推移に伴って、最終的にラングーン（現ヤンゴン）まで到達。以後もシンガポール近辺で行動した。44年初期の短期間練習艦となったが、3月に海上護衛総司令部所属となり、対潜護衛艦への改装を実施。最重要船団である門司〜昭南のヒ号船団の護衛に専従した。11月に初の船団護衛グループ・第101戦隊を編成し旗艦となったが、ヒ86護衛中の45年1月12日、仏印キノン湾付近で米空母機の攻撃を受け沈没。この時の映像が残されている。

## その他の巡洋艦

太平洋戦争中の日本海軍には、レギュラーの重巡洋艦・軽巡洋艦の他にいくつか例外的存在の艦があった。

まず香取型の前に練習巡洋艦として用いられていた旧装甲巡洋艦。日露戦争に参加した8隻のうち「日進」以外は何らかの形で残っており、「常盤」は敷設艦、他は海防艦籍にあったが、42年7月1日の類別変更で「浅間」「春日」「吾妻」は練習特務艦へ転籍。「出雲」「磐手」「八雲」は一等巡洋艦となり、名目上は巡洋艦に復帰した。ただし任務はいずれも練習艦で、「吾妻」は1944年解体。「春日」「出雲」「磐手」「常盤」は終戦直前に空襲で擱座。「八雲」と非稼働状態の「浅間」が終戦時も健在だった。「八雲」は引揚輸送艦としても活動している。重巡洋艦籍の3隻も大戦末期には20cm主砲を撤去して12.7cm連装高角砲を置いており、武装の上では旧副砲の15cm砲を主砲とする軽巡洋艦ということになる。

これ以外の旧式巡洋艦で、「平戸」「矢矧」は、すでに除籍された廃艦の船体が岩国と大竹に残っていた。

日本から輸出した数少ない艦艇の一つである中国巡洋艦「寧海」と、その準姉妹艦で上海の造船所で建造された「平海」は、日中戦争初期に撃沈され、引揚のうえ日本に回航していたが、1944年に海防艦「五百島（いおしま）」「八十島（やそしま）」として修復再就役。同年9月25日付で軽巡洋艦へ移籍することとなった。これらは竣工当時は14cm砲6門、魚雷発射管4門を持ち、巡洋艦としても通用する武装を持っていたが、基準排水量はわずか2200トン、速力も22ノットで、実質は大型砲艦程度のもの。再役後は12cm高角砲2門と機銃で、なぜ巡洋艦にするのかよくわからない措置だった。「五百島」は移籍直前の9月19日戦没、「八十島」も11月25日に失われた。

日本海軍軽巡洋艦 八十島
フルスクラッチビルド1/700
製作／米波保之

## 建造 香取型練習巡洋艦模型紹介

香取型練習巡洋艦はウォーターラインシリーズ、青島文化教材社から2011年にリニューアルキットが発売された。このようなマイナーな軍艦までリニューアルされて発売されるとは10年前には想像もつかなかった。キットは昨今の青島文化教材社のキットらしくモールドはシャープでパーツ数もほどほどの点数に抑えられており組み立てやすい内容だ。実艦は練習巡洋艦という性格上、14cm主砲、12.7cm連装高角砲、53cm連装魚雷発射管、25mm連装機銃に加えてカタパルトまで装備するという重武装で兵器の見本市のようなレイアウトだ。模型的にもさまざまな装備を少しずつで搭載することができるので楽しめそうだ。「香取」「香椎」は太平洋戦争前半、「鹿島」は大戦後期の状態を再現している。「香椎」は2本煙突となっているが、これは実艦がカムラン湾で行動する際に偽の煙突を設置していた状態を再現したものなのだ。

**艦これ はみだしコラム** 香取と鹿島は由来となった神社も仲良し?／「香取」と「鹿島」は香取型練習巡洋艦の同型艦（香取型戦艦も同様）だが、その名の由来となった神社が「経津主大神（ふつぬしのおおかみ）」を祀る千葉県の香取神宮と、「武甕槌大神（たけみかづちのおおかみ）」を祀る茨城県の鹿島神宮。この2柱は天照大神の出雲国国譲りの神話にそろって登場する神様で、海上守護や戦いの神として古くから重宝された存在で、「香取神宮に参拝したら、その足で鹿島神宮にお参りすると、ご利益が増しますよ」とも言われることがある。

# 日本海軍が建造した全タイプの駆逐艦プロフィール

**黎明期の日本海軍の航洋型大型駆逐艦の設計はさまざまな試行錯誤が試された後、峯風型・神風型へとたどり着いた。それ以降11タイプの駆逐艦が設計され太平洋戦争に投じられた。「艦これ」ではこのうち松型・橘型をのぞく10タイプが実装されている**

文／岩重多四郎

## 峯風・神風型駆逐艦　量産された日本海軍初の一等駆逐艦

製作／岩重多四郎

いわゆる八八艦隊世代の標準型駆逐艦で、1920～25年に24隻が竣工。設計上は5つのサブタイプがあるが、一般的には船体幅の違う峯風型と神風型に2分する。太平洋上でのアメリカ戦艦隊迎撃を主任務とし、悪天候でも攻撃力が低下しないよう武装配置に趣向を凝らしたのが特徴。英国式設計から独自路線へ大きく踏み出したクラスと位置付けられる。当時の日本海軍は一等・二等に類別される大小2系列の駆逐艦を並行建造しており、似た形状で一回り小さい樅、若竹型29隻もあった。

## 睦月型駆逐艦　はじめて61cm魚雷発射管を搭載した駆逐艦

製作／岩重多四郎

1922年のワシントン軍縮条約締結後に設計された峯風シリーズの後期型。特型駆逐艦と同じ61cm三連装魚雷発射管を搭載し、艦首形状の変更も加えられた。1925～27年に12隻が竣工、神風型と睦月型は当初番号艦名をつけており、28年に固有名詞へ変えられた。太平洋戦争開始直後に「如月」が失われたため、日本駆逐艦で最初に対空兵装強化の戦訓改正を実施。峯風シリーズは一部が小型揚陸艦、標的艦、輸送駆逐艦など他の任務へ転用されたものもあるが、全艦現役を続けた。

## 吹雪型駆逐艦　世界を驚かせた大型、重武装の画期的な「特型」

製作／岩重多四郎

ワシントン軍縮条約で主力艦の建造が制限されたため、下位艦種の底上げが必要となり、従来艦の1・5倍の戦力を盛り込んだ新型駆逐艦・特型が登場。1928～33年に24隻が完成し、世界の駆逐艦建造に大きな影響を及ぼした。このうち最初の9隻は、主砲を仰角40度でコンパクトなA型砲室に納め、きせる型の缶室給気筒を持ち、Ⅰ型に分類される。特型は建造中から数多くの設計変更が加えられており、Ⅰ型自体にも船首楼の長さにバリエーションがある。太平洋戦争中酸素魚雷の搭載工事を実施。

## 綾波型駆逐艦　艦橋などを改変した「特型」第2グループ

製作／岩重多四郎

特型第2グループで、缶室給気筒が日本独特のお椀型に変更、主砲も仰角75度のB型砲室に更新されたが、後に実用性の都合から仰角55度に制限された。給気筒のみ変更した「浦波」はⅠ型改、砲室や艦橋構造物の変更も加えた「綾波」以下10隻をⅡ型とする。さらに給気筒の形状や煙突の高さなどのマイナーチェンジも多く、時期による変化もあってマニア泣かせのグループ。船体強度や復原性能の問題が明らかとなり、改修工事の結果速力が低下したが、戦前の日本水雷戦隊の主力として名声をあげた。

## 暁型駆逐艦　ボイラーなどを修正した「特型」第3グループ

製作／岩重多四郎

特型最後の4隻は、所要馬力を得るための主缶が従来の4基から3基になったため、前部煙突が細い独特の艦容を持つ。後部煙突もやや前に移動している。新造時はその分の余剰重量を艦橋設備の充実にあて、巨大な構造物を持っていたが、復原性改善が必要となって逆に他より小さなものに作り替えられた。特型は当初から24隻で止める計画だったとされるが、優秀な武装と航洋性能が高く評価され、軍縮条約期間後の日本海軍は特型のサイズを新たな標準艦隊型駆逐艦に規定することとなる。

## 初春型駆逐艦　軍縮条約により誕生した中型重武装駆逐艦

製作／岩重多四郎

1930年のロンドン軍縮条約で駆逐艦の保有量も制限されたため、睦月型の後継となるべき標準型駆逐艦は排水量1400トンで特型より主砲1門少ないだけの極端な武装偏重設計でまとめられた。しかし復原性（転覆に対する耐性）の理論に誤りがあって船として危険であるとわかり、魚雷発射管1基を撤去するなどの徹底的な改修を要した。6隻が初春型として1933～35年に完成したが、この改修を建造のどの段階で実施してどのような形になったかで細かく4パターンに分かれる。

**艦これ はみだしコラム**

日本人は屋根がお好き？／兵器や海軍艦艇などは、建造した国それぞれの運用目的に沿って設計されるのが常だが、同じ艦種でもデザインや構造にはその国の「お国柄」というのが反映される。駆逐艦の場合、イギリスやアメリカでは艦長が指揮をとる羅針艦橋が露天式というのが当たり前で（トップヘビー対策）、日本海軍でも峯風型では天井がキャンバス張りで竣工しているが、これは雨の多い日本では使い勝手が悪いということで、吹雪型以降では初めから鉄製の天井を持ったデザインに変更されて建造されている。

## 白露型駆逐艦　前タイプを修正し実用性を増した中型駆逐艦

製作／岩重多四郎

初春型の艦橋構造物を縮小し、魚雷発射管を三連装から新設計の四連装に強化、船体もわずかながら延長したもの。白露型として1936～37年に10隻が完成し、外見・要目ともかなり変化したが、設計上は同じF45のバリエーションとなっている。白露型自体も前後期で艦橋構造物の形状などが異なる。この両型は予備魚雷の急速装填装置を初めて導入し、設計変更後もなお世界の基準に遜色ない戦力を持っていたが、軍縮明け後の日本海軍は中型駆逐艦に興味を失ってその建造を取りやめた。

## 朝潮型駆逐艦　軍縮条約を破棄し理想を追い求めた大型駆逐艦

製作／岩重多四郎

白露型の建造計画から振り替えるかたちで建造され、1937～39年に10隻が完成。その経験を生かして設計された新特型というべきデザインで、船体寸法が吹雪型と同じだった。軍縮明け後の艦隊型駆逐艦の基本的なレイアウトを決定し、艦尾の形状不良、タービン機関の不調といった初期不良も解決したが、航続距離の不足から次の陽炎型にバトンタッチした。白露、朝潮型は新造時まだ通常の魚雷を装備していたが、まもなく実用化された酸素魚雷に換装し、戦力をアップしている。

## 陽炎型駆逐艦　日本海軍がたどり着いた理想の大型駆逐艦の完成形

製作／岩重多四郎

大和型戦艦などとともに海軍軍備の大幅刷新を目指して建造されたクラスで、甲型という名称を与えられた。朝潮型をさらにリファインした設計で、戦前の日本駆逐艦の代表作と見ていい。大和型の実態をごまかすために本型の予算を余分に獲得するという経緯もあり、姉妹艦が19隻と中途半端。また、戦時体制下の1939～41年に完成したため資料が少なく、これといったバリエーションも知られていない。戦時中を通して日本水雷戦隊の中軸をなし、主要な海戦にほぼ必ず名を連ねる。

## 夕雲型駆逐艦　陽炎型を小改良した甲型駆逐艦後期タイプ

製作／岩重多四郎

甲型駆逐艦の後期タイプ。陽炎型からは艦橋構造物や艦尾の形状変更をはじめ、文字通りのマイナーチェンジが各所に施されている。姉妹艦は前型の端数に対応して19隻。完成が1941～44年だったため、建造中からレーダーや機銃の追加などの戦訓改正も盛り込まれ、前型とは逆に複雑なバリエーションが見られるが、全艦の写真が残っておらず全容は不明。新たに導入されたD型砲室の最大仰角と射撃指揮装置、陽炎型との対空兵装強化方針の違いの相互関係など、複雑な問題も指摘される。

## 秋月型駆逐艦　新型高角砲を搭載し艦隊防空用に設計された大型艦

製作／岩重多四郎

空母機動部隊の対空護衛艦という新たなコンセプトで登場。汎用性を考慮して魚雷発射管を追加し、乙型駆逐艦となった。目玉装備は65口径10cm高角砲で、最大仰角90度、俯仰と旋回の速度は12.7cm砲の2.5～3倍に達する。基準排水量2700トンの大型船体に甲型と同じ機関部を搭載し、速力はやや低い。水雷戦隊旗艦として敵艦と交戦したこともあり、太平洋戦争の実情に対しては甲型よりも適応した好設計と評される。細部を簡易化しつつ建造が継続されたが、完成は12隻にとどまった。

## 駆逐艦 島風　高速力と重雷装を併せもつオンリーワンの存在

製作／岩重多四郎

甲型駆逐艦の欠点とされた速力不足の克服を第一目的とするデザイン。丙型と称する。機関出力を5割近く増して7万5000馬力とし、計画速力を39ノットに増大、米海軍の新造戦艦に対し充分なマージンを得られると考えられた。主砲は夕雲型と同じで、魚雷は次発装填装置を廃して五連装発射管3基、15本の撃ち切りに変更。1943年竣工の1番艦は日本駆逐艦の試運転速度記録を持っていた峯風型の「島風」（第1号哨戒艇）の名を継ぎ、40.9ノットでこれを破ったが、試作1隻に終わる。

## 松・橘型駆逐艦　対空、対潜戦闘に特化した新世代量産型駆逐艦

製作／岩重多四郎

太平洋戦争で駆逐艦は、護衛や輸送など本来の用途とは異なる任務に従事することが多く、損失も深刻だったので、副次的任務をこなすための軽便駆逐艦が考案された。主砲は高角砲3門、魚雷発射管4門と艦隊型の半分で、鴻型水雷艇の機関を用い速力は30ノットに達しなかったが、1943年夏から建造開始されたにもかかわらず終戦までに32隻が完成。初期の松型と船体構造をさらに簡易化した橘型に大別され、全体で丁型を構成する。乙型とは別の意味で第二次大戦に適合した艦。

**艦これ はみだしコラム**

日本駆逐艦オリジナル装備“次発装填装置”／日本海軍の駆逐艦はとくに雷装を重視して設計、運用されていた。その最たるものが魚雷の「次発装填装置」と呼ばれるものである。これは本来、手間暇のかかる魚雷の装填を海戦中の短い時間で行なえるようにしたもので、あらかじめ発射管に詰めてあった魚雷を発射したらいったん戦場を離脱し、自発装填装置に搭載している魚雷を詰めて戦場に舞い戻り、二の矢を放つという日本海軍独自のものだった。この自発装填装置は初春型の竣工時から搭載され、日本駆逐艦の必須装備となっていった。

# 神風型駆逐艦

## 八六艦隊計画で成立した改峯風型 太平洋戦争では最古参として奮闘

**1910年代より八四艦隊計画が成立するなど、近代的な艦隊の整備に邁進していた日本海軍は、併せて大型の駆逐艦も計画した。その、トップバッターとなる峯風型の改良型となるのが神風型である。太平洋戦争時はすでに旧式駆逐艦となっていたが、護衛や輸送など裏方任務を支えた。**

文／松田孝宏

### 日本海軍駆逐艦 神風 1941年

日本海軍駆逐艦 神風
ピットロード1/700
インジェクションプラスチックキット
製作／岩重多四郎

1917年の八四艦隊完成案の成立に伴い計画された峯風型駆逐艦は、後期建造艦の兵装配置や寸法を改正した。そして15隻で建造を打ち切った峯風型に続き、大正7年度計画艦以降の9隻を神風型として建造した。峯風型から基準排水量で55トン、最大幅で24cm、喫水が2cmほど増加しているが、3隻が建造された峯風型の後期艦とほぼ同一艦である。武装も爆雷装備の有無などが相違となる程度である。

ただし、神風型では新造時より砲に防盾を装備、露天艦橋はブルワークで覆うなど、峯風型の新造時に比して改良がみられる。

当初は37.25ノットという超高速であったが、日本艦艇の設計不備が露呈した第4艦隊事件に伴う性能改善工事によって排水量が増大、速力も34ノット程度に低下したと伝えられる。

また、1923年度計画で建造された後期艦は、主機をパーソンズ・ギヤード・タービンから国産の艦本式タービンに変更、予備魚雷格納庫の増設と搭載する予備魚雷の倍増、爆雷投射機や装填台の設置など、武装が強化された。

太平洋戦争時には旧式化していたものの、全9隻はそれぞれ駆逐隊を編成して、老骨にムチ打って活躍した。終戦時は「神風」「春風」が残存しており、すべてが失われたクラスも多いなかで旧式艦らしからぬ健闘が光る。

なお大戦中は、早々に沈んだ「疾風」以外は一部の備砲を撤去して対空兵装が強化された。「神風」は3番発射管を撤去したことが認められており、機銃を増設したぶん重量のバランスをとったためであろう。電探も優先度は低かったと思えるが、海上護衛隊に所属した「朝風」「春風」ほか数隻は一三号電探を搭載したと思える。

# 神風《カミカゼ》

## 立てた武勲の数々、いぶし銀の活躍

1番艦「神風」は、「危難を救うべく神が吹かせる風」を由来に命名され、1922年12月28日に竣工した。元寇に際して、元の軍船を激しい「神風」が襲った事実はつとに著名である。「神風」は太平洋戦争開戦時から約3年にわたり千島・北海道で哨戒や護衛、輸送任務に就き、1945年5月16日のペナン沖海戦では英艦と交戦、7月18日は米潜水艦「ホークビル」と死闘を演じ、戦後は両艦長に交流が生まれた。終戦時はシンガポールにいたが、内地に戻り復員輸送を行った。1946年6月7日に座礁、放棄となり6月26日に除籍、翌年に解体された。旧式ながらしぶとい活躍と強運が見事だった。

# 朝風《アサカゼ》

## 緒戦で活躍 護衛任務に倒れる

2番艦「朝風」は、いかにもさわやかな「朝吹く風」から命名され、1923年6月16日に竣工した。太平洋戦争以前は北洋漁業の保護にあたり、太平洋戦争開戦時は同型艦「春風」「松風」「旗風」とともに第5水雷戦隊第5駆逐隊を編成、フィリピン攻略戦に参加。ジャワ攻略戦では船団の護衛を行ない、バタビア沖海戦では僚艦と協同で撃沈戦果を挙げた。ビルマやニコバル諸島、チモールなどの作戦にも参加したが、第5駆逐隊の解隊後は内地や南方で哨戒、護衛任務に就いた。しかし1944年8月23日、船団護衛中の「朝風」はフィリピンのリンガエン湾付近で米潜水艦「ハッド」の雷撃で沈んだ。

# 春風《ハルカゼ》

## 大戦を生き延び 防波堤となる

3番艦「春風」は、「春の日に吹く穏やかな風」にちなんで命名された。竣工は1923年5月31日である。太平洋戦争緒戦は第5水雷戦隊第5駆逐隊の一員として、フィリピン方面でルソン島上陸作戦支援やジャワ攻略では船団護衛に任じた。1942年3月、ジャワへの上陸戦ではオランダ哨戒艇2隻を沈め、生起したバタビア沖海戦で「春風」は被弾するも敵艦に損害を与えた。ただし古要桂次艦長によれば、「春風」の魚雷が味方船団へ向かっていったという。以後は各方面での護衛任務で見事な働きを示し、佐世保で終戦を迎えた。船体が防波堤に流用されるなど、戦後も献身した。

# 松風《マツカゼ》

## 輸送と護衛任務に 捧げた後半生

4番艦「松風」は、「松に吹く風」を意味する艦名が与えられ1924年4月5日に竣工した。「松風」も第5駆逐隊の一員として緒戦を戦い、その後はソロモン方面で護衛や輸送にあたった。1943年7月13日、コロンバンガラ島沖海戦で輸送隊として陸軍部隊を運んだ。同年10月、第二次ベララ・ベラ海戦でも輸送隊として参加した。1944年2月17日はトラック島の大空襲に遭遇、中破の損害を受けた。その後は第30駆逐隊を編成、6月は第三六〇六船団の旗艦としてサイパンへ向かった。しかし、その途上の6月9日、小笠原諸島父島沖で米潜水艦「ソードフィッシュ」の雷撃により沈没した。

# 旗風《ハタカゼ》

## 馬車馬のごとく 護衛に奮闘

5番艦「旗風」はなんとも高速艦らしい「旗に当たってはためかせる風」から命名され、1924年8月30日に竣工した。僚艦と第5駆逐隊を編成、戦前は第1航空戦隊に所属したこともある。太平洋戦争緒戦のフィリピンや蘭印での活躍は、これまでに記した僚艦と同様である。1942年5月5日、横須賀警備隊に編入され、給糧艦「伊良湖」を護衛。その後も船団や空母「雲鷹」などの護衛任務を重ねた。1944年は、「松輸送」などで横須賀から父島への護衛に12回、硫黄島へ4回出撃するなどめざましい。しかし1945年1月15日、ヒ八七船団の護衛中に台湾の高雄付近で空襲を受けて沈んだ。

## 未登場の神風型駆逐艦

本書の初版発行時となる2019年12月現在、ゲームで実装されていない神風型駆逐艦は、6番艦「追風」、7番艦「疾風」、8番艦「朝凪」、9番艦「夕凪」となる。

各艦の概略を紹介すると、6番艦「追風」は「船尾方向から吹く風」を由来として1925年10月30日に竣工した。開戦時は第6水雷戦隊配下の第29駆逐隊にあり、ウェーク島攻略戦に参加。しかし1941年12月11日の第一次攻撃時に米軍は強烈な抵抗を示し、砲台からの攻撃で「追風」は損傷した。以後は南洋、ソロモンほか各地で行動するも、1944年2月18日にトラック大空襲に遭遇して沈んだ。

7番艦「疾風」は「激しく吹く風」が艦名の由来となり、1925年12月21日に竣工、最後に完成した神風型駆逐艦となった。「疾風」も開戦時にウェーク島攻略戦に参加したが、島から集中砲火を受けて轟沈した。生存者はない。

8番艦「朝凪」は、「朝、一時的に風が吹かなくなる現象」が由来だ。1925年12月29日に竣工した。太平洋戦争時は「追風」「疾風」「夕凪」と共に第29駆逐隊を編成していたが、「朝凪」「夕凪」はギルバート諸島攻略に分派された。1944年5月22日、船団護衛中に米潜水艦の雷撃で沈没した。

9番艦「夕凪」は「夕方、一時的に無風となる状況」を由来として1925年4月24日に竣工した。1942年8月8日の第一次ソロモン海戦における活躍がつとに有名で、三川艦隊を編成するためにも実装が望まれる。ソロモン海戦以後は護衛や輸送に従事していたが、船団護衛中の1944年8月25日に米潜水艦に撃沈された。

## 建造 神風型駆逐艦模型紹介

峯風型と神風型は準同型艦といっていい。ということは合わせて24隻の実艦が存在することになるが、キットは現在のところピットロードのものしか発売されていない。本級以外の駆逐艦は静岡模型教材協同組合のウォーターラインシリーズでキット化されている。神風型は太平洋戦争中でも活躍しているため新しいキットの発売を待ちたい。

ピットロードのキットは1994年発売のもの。実艦同様、シンプルなパーツ構成で組み立て自体は短時間で終わる。細部のディテールは現在の目から見るとやや大ぶり。最近発売されたヤマシタホビーの睦月型から細部パーツを流用しディテールアップするという方法も存在する。

## 峯風型駆逐艦

神風型の前身となる峯風型駆逐艦は、八四艦隊完成案の成立した1917年、日本海軍の大型駆逐艦がわずか8隻であったことから、1917、1918年度計画で9隻、計18隻が計画された。1918年度計画艦のうち、6隻が兵装配置を一部変更、船体幅も増したため、改峯風型と称されることもある。これに相当するのが「野風」「沼風」「波風」で、残る3隻は神風型となったため、峯風型の建造は15隻で終わった。

12cm単装砲4門、53cm連装発射管3基、7.7mm機銃2基と、就役を開始した1920年当時はまずまずの強武装で、なにより39ノットという超高速艦であった。

峯風型は1930年代初頭から兵装の一部を撤去、艦隊から外れて地方の要港部への配備が始まり、1940年には「島風」「灘風」が哨戒艇に艦種変更となった。また、「矢風」は標的艦というユニークな艦に改造された。駆逐艦として大戦に参加したのは12隻で、主に船団護衛任務に就いていた。終戦時は「矢風」と「澤風」「汐風」「夕風」「波風」が残存していた。

**艦これ はみだしコラム**

南海の決闘、神風VS米潜ホークビル／神風型は太平洋戦争に参加した中では峯風型について古い駆逐艦であったが、その1番艦「神風」は何度も死線をくぐり抜けて終戦を迎えている。なかでも特筆されるのが終戦直前の1945年7月18日、マレー半島周辺を行動していた際に会敵した米潜水艦ホークビルとの一騎打ちであろう。9本もの魚雷を交わして距離を詰めた神風は爆雷攻撃で米潜水艦を撃沈確実と判断したが、この潜水艦はからくも生還。戦後、お互いが健在であることを知った両艦長同志が文通して旧交を温めたという逸話が残されている。

# 睦月型駆逐艦

## 予定されていた神風型をパワーアップ！初めて61cm魚雷発射管を搭載する

**峯風型、神風型の延長線上に位置づけられる睦月型駆逐艦は、もともとは神風型と同型として計画されていた。しかし、新たに開発された61cm魚雷発射管を搭載すべく、兵装配置などは神風型の後期建造艦に準じながら新たなクラスとして再設計して建造された**

文／松田孝宏

**日本海軍駆逐艦 如月**
**1941年**

日本海軍駆逐艦 如月
ヤマシタホビー 1/700
インジェクション
プラスチックキット
製作／岩重多四郎

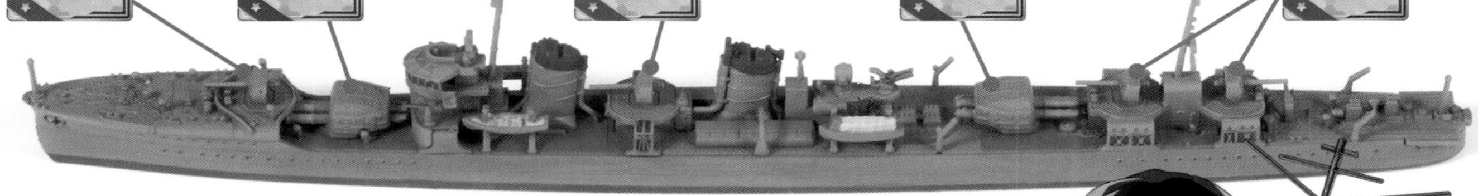


強化された必殺の
61cm魚雷をひっさげて
いざ出発にゃ

1923年度改訂計画によって12隻が建造された睦月型は、神風型と同型として計画されていた。しかし、従来の53cmよりも大型の61cm魚雷発射管が完成したため、これを搭載する新型駆逐艦となった。艦首も、凌波性向上のためスプーン・バウからダブルカーヴェーチャー・バウに変更。また発射管すべてに次発装填が可能となるよう､6本の予備魚雷を搭載した。爆雷装備は、神風型の後期建造艦と同様である。

だが、全長や最大幅など船体の寸法がほぼ同じまま重量が増大したため、上昇した重心や船体強度の不足などの欠点を有していた。このため、友鶴事件（新鋭水雷艇「友鶴」が、武装過多による重心上昇のため転覆）や第4艦隊事件を受けた性能改善工事は、神風型より大規模なものとなった。

開戦直前までには､2番発射管の前方に25mm連装機銃を装備、消磁電路（電磁式機雷に備えたもので、開戦直前の日本軍艦の標準装備）を装着し、開戦直後は7.7mm機銃を25mm単装機銃に換装した。

太平洋戦争は旧式ながらも全艦が参加、多くが緒戦から各地の攻略戦に従事した。大戦中の武装は2番または4番砲塔を撤去して25mm3連装機銃を1～2基装備、艦橋まわりにも25mm単装または連装機銃を増設した。一部の艦は発射管も撤去しており、これは重量増大に伴う措置である。これらの武装変更は、残された写真により1943年から1944年に実施されたと推定されている。

大戦中は､1944年12月11日に「如月」がウェーク島攻略戦で沈没。以後も損失があいつぎ、オルモック湾への輸送作戦中となる1944年12月13日に失われた「夕月」を最後に､12隻すべてが沈没する激戦であった。

## 睦月《ムツキ》

### 緒戦から各地を転戦した1番艦

1番艦「睦月」の艦名は、「陰暦における正月」を意味する。大正時代にこの艦名が用いられたのは、明治天皇の御名、「睦仁」に考慮したためという説がある。1926年3月25日に竣工、1935年9月26日の第4艦隊事件では艦橋が圧壊、沈没の危機に陥った。太平洋戦争開戦時は第30駆逐隊を編成、第4艦隊第6水雷戦隊に所属してウェーク島攻略戦に参加した。その後はラエ、サラモア攻略戦、ポートモレスビー攻略戦では攻略部隊として出撃したが、珊瑚海海戦の影響で作戦は中止となった。1942年8月25日の第二次ソロモン海戦後、ガダルカナル島を砲撃後に米軍機の空襲を受け沈没。

## 如月《キサラギ》

### 開戦早々に沈没 睦月型喪失第1号

2番艦「如月」の艦名、陰暦2月の異称に由来する。1925年12月21日に竣工した。昭和初期は睦月型で編成された第30駆逐隊の一員として、第一次および第二次上海事変に際して中国方面に出動した。太平洋戦争開戦時は第30駆逐隊の旗艦として、第6水雷戦隊に所属してウェーク島攻略作戦に参加。1941年12月11日、ウェーク島上陸時に米戦闘機の銃撃を受けて艦橋が吹き飛び、爆撃で魚雷や爆雷が誘爆して命中から10分と経たず沈没。睦月型の喪失第1号となった。ウェーク島攻略作戦は「疾風」そして「如月」の沈没により仕切り直しとなり、緒戦における数少ないつまずきとなった。

## 弥生《ヤヨヒ》

### 外国機関を搭載した最後の駆逐艦

3番艦「弥生」は、「月」の文字こそ含まないが陰暦3月の異称から命名された。1926年8月26日に竣工したが、18日前に神風型（初代）3番艦の初代「弥生」が沈没している。主機はメトロポリタン・ヴィッカース社のタービンで、外国製機関を搭載した最後の駆逐艦となった。太平洋戦争開戦はウェーク島攻略戦で迎え、「弥生」も砲台から攻撃を受けて損傷した。以後もラバウル、ブーゲンビル、アドミラルティ諸島略、MO作戦に連戦。ソロモンの戦いは、梶本艦長によれば「睦月」を含む第30駆逐隊が最初にガダルカナル島を砲撃したという。1942年9月1日、ラビ攻略戦の帰途に空襲で沈没した。

## 卯月《ウヅキ》

### 睦月型でも歴戦を誇る殊勲艦

4番艦「卯月」の艦名は陰暦4月であるとともに、「卯の花の咲く月」も意味する。1926年9月14日に竣工。太平洋戦争直前は睦月型から成る第23駆逐隊に属し、第2航空戦隊の一員だったが、真珠湾攻撃には行かずグアム島、次いでウェーク島攻略戦に参加した。第二次ソロモン海戦、コロンバンガラ島輸送などで何度も損傷した。1943年11月25日のセント・ジョージ沖海戦では米艦と交戦、中破した。以後も多くの輸送や護衛作戦に参加、1944年12月12日の第九次オルモック輸送で米艦に撃沈された。参加した作戦は多く、最期は敗れたものの敵艦との戦闘も重ね、睦月型でも屈指の戦歴を誇る。

## 皐月《サツキ》

### 南方にソロモンに多くの作戦に参加

5番艦「皐月」の艦名は「陰暦5月」を意味するが、「こうげつ」と読むこともある。1925年11月25日に竣工。太平洋戦争開戦時は第22駆逐隊の一員として第5水雷戦隊に所属、フィリピン攻略部隊の護衛にあたっていた。ジャワ攻略ではバタビア沖海戦を経て、ソロモン戦線に転戦。しかし日本軍は消耗戦に引き込まれ、1943年2月に実施されたガダルカナル島からの撤収作戦に「皐月」は3回も参加した。同年7月6日のクラ湾夜戦、13日のコロンバンガラ島沖夜戦など、参加した海戦は多い。1944年1月4日、ラバウルで輸送作戦中に空襲で損傷。修理後の9月21日、再度の空襲で沈没した。

## 水無月《ミナヅキ》

### 多くの護衛任務を行ない沈没する

6番艦「水無月」は「陰暦6月」に由来し、「みなつき」とも読む。1927年3月22日に竣工した。開戦時は月級と呼ばれる僚艦と第22駆逐隊を編成しており、フィリピン作戦、ジャワ作戦に参加。1942年3月1日のバタビア沖海戦に参加後、船団護衛に従事する。1943年からソロモンで輸送を行い、コロンバンガラ島沖海戦やブーゲンビル島沖海戦などにも輸送任務で参加した。このうちコロンバンガラ島沖海戦では砲撃で小破している。1944年2月からは内南洋方面で船団護衛にあたっていたが、6月6日にダバオから護衛作戦中、米潜水艦の雷撃によりダバオ南東海上で沈没した。

## 文月《フミヅキ》

### 味方船舶と衝突の不運

7番艦「文月」は「陰暦の7月」を意味しており、「ふづき」と読む例も少なからずある。1926年7月3日に竣工。「文月」も第22駆逐隊に属し、第5水雷戦隊の一員としてフィリピン、ジャワの攻略作戦に参加した。1942年3月1日のバタビア沖海戦では、連合軍の艦隊と水上戦闘を行なっている。その後、内地〜台湾間で船団護衛を行なうが、9月16日に「勝関丸」と衝突して大破、12月まで修理を余儀なくされた。1943年からはソロモン方面に転じ、ガダルカナル島撤収作戦に参加。1944年1月30日、ラバウルで爆撃を受けて損傷し、トラックへ回航されるが2月17日のトラック大空襲で浸水。翌18日に沈没した。

## 長月《ナガツキ》

### クラ湾夜戦に力尽きる

8番艦「長月」は「陰暦の9月」から艦名を得て、1927年4月30日に竣工した。菊を「長月草」「長月花」と呼称することもある。太平洋戦争開戦時は僚艦「皐月」「水無月」「文月」らと第22駆逐隊を編成しており、南方部隊の第5水雷戦隊に所属してフィリピン、ジャワ攻略作戦に従事した。バタビア沖海戦の参加も僚艦と同様である。ソロモン方面に転じてからはガダルカナル島の撤収作戦とクラ湾夜戦で「皐月」と行動を共にする。しかし1943年7月6日、多くの駆逐艦が沈んだクラ湾夜戦で座礁した「長月」は、米軍機の攻撃で艦橋から前部を切断する損害により沈没した。

**艦これ はみだしコラム**

命名基準が変わりました／睦月型駆逐艦は上掲のように「陰暦の月名」を1月から順に付けていたが、8月を指す葉月はなく、代わりに9月を指す「長月」と「菊月」は両方とも採用されている。その後は命名基準が変わって、「三日月」、「望月」、「夕月」と月齢にちなんだ命名となった。ただ、この順番通りに命名されたのは睦月型が初めてで、それまでは駆逐艦や掃海艇などにバラバラに付与して使われた名称だ。なお、8月を指す「葉月」、11月を指す「霜月」は秋月型駆逐艦に使用されている（「葉月」は未成）。

# 菊月《キクヅキ》

## 砲身が日本に戻った僥倖

9番艦「菊月」も8番艦「長月」同様、「陰暦の9月」を意味する艦名を与えられた。竣工は1926年11月20日で、翌12月25日で終わりを告げる大正時代に、最後に竣工した軍艦（駆逐艦は、厳密には「軍艦」にカテゴライズされないが、広義の意味で）となった。太平洋戦争は南東方面の攻略や珊瑚海海戦に参加。1942年5月3日、日本軍はガダルカナル島の対岸にあるツラギ港を占領した。翌4日に「菊月」は同地で空襲を受け5日に沈没した。2017年、菊月保存会の働きでソロモン諸島政府との手続きがなされ、4番主砲砲身が引き揚げられて日本に里帰りを果たした。2019年12月現在、修復が行なわれる予定とのアナウンスがなされている。

# 望月《モチヅキ》

## 最後に竣工の睦月型駆逐艦

11番艦「望月」の艦名は、「陰暦の十五夜に出る月」すなわち満月を指す。1927年10月31日に竣工した。最終の12番艦となる「夕月」よりも3カ月遅く、睦月型で最後に竣工した艦となった。ちなみに明治と戦後（海上自衛隊の護衛艦）、建造された艦艇に一度は「望月」「もちづき」の艦名が発表されながら、実際は別の名になった奇縁がある。太平洋戦争では第30駆逐隊に所属、第6水雷戦隊の一員としてウェーク島攻略作戦に参加した。第一次作戦は失敗するが、この時「望月」は、大発に移乗して上陸に備えていた陸戦隊を収容した。1943年10月24日、輸送作戦中に空襲を受けニューブリテン島東方で沈没した。

## 日本海軍駆逐艦の魚雷

魚雷、爆雷、機雷や、これらを発射または投射する機材を、水雷兵装と総称する。中でも装甲の薄い喫水線下部を破壊、多量の浸水を招く魚形水雷こと魚雷は、太平洋戦争時までは小型艦が大型艦を沈められる唯一の兵装であった。このため駆逐艦はもちろん、巡洋艦や水雷艇など主力艦以外の多くが魚雷と発射管を搭載した。

日本海軍では、明治期に輸入した朱式八四式魚雷を皮切りに、明治末期採用の四四式魚雷で国産化が成った。この時は直径45cmであったが、大正時代の六年式魚雷で53cm、八年式魚雷は61cmと大型化し、前者は水上艦用、後者が潜水艦用となる。昭和に入っても同じ用途で53cmの八九式魚雷、61cmの九〇式魚雷と改良が続く。

また魚雷は圧縮空気とガソリンの混合気でレシプロ機関を動かすものだが、燃えない窒素が気泡となり雷跡となる弱点があった。このため日本海軍は極秘に純粋な酸素を使う無航跡魚雷の開発を進め、1933年に九三式魚雷一型として完成、射程や速力で各国を大きく引き離した。潜水艦用が53cmの九五式魚雷一型で、太平洋戦争中は九三式魚雷三型、九五式魚雷二型に更新された。実戦では信管が鋭敏すぎて目標到達前に爆発する例が少なからずあったが、第三次ソロモン海戦の「綾波」や、ルンガ沖夜戦などで凄まじい威力を発揮している。

※潜水艦用には電池式のものもあった。

## 建造 睦月型駆逐艦模型紹介

睦月型駆逐艦は現在、3社から発売されている。もっとも古いキットはハセガワが発売しているもので1973年発売。すでに45年以上が経過しており現在の水準からするとかなりシンプルな内容だがシルエットに大きな問題はない。ピットロード版のキットは2003年発売。ハセガワより30年あとのキットでディテールは格段に精密になった。ただこのピットロード版でもすでに15年以上経過しており昨今の艦船模型精密化以前のものといえる。ヤマシタホビーのキットは近年発売されたばかりのもので吹雪型に続くヤマシタホビーの駆逐艦第2弾。資料が意外に少ない睦月型を見事にとらえたもので精密感と組み立てやすさを兼ね備えた好キットだ。

# 三日月《ミカヅキ》

## 4例しかない同一の建造所

10番艦「三日月」は「陰暦で毎月の3日目に出る細い月に由来する。1927年5月5日に竣工した。この名を持つ駆逐艦としては二代目となり、初代と同様に建造は佐世保工廠による。実は、初代と二代目の建造所が同じ駆逐艦は「三日月」「島風」「海風」「夕立」しかない。開戦時に第3航空戦隊に所属、ミッドウェー海戦は空母「瑞鳳」の護衛任務に就いて攻略部隊として参加した。内地～台湾間の船団護衛任務後、1943年6月後半からはソロモンで行動し、輸送作戦や海戦に参加。7月27日のツルブ輸送ではグロスター岬で座礁、翌28日に米軍機の爆撃で大破、やむなく放棄して喪失となった。

## 未登場の睦月型駆逐艦

2019年12月現在、睦月型で実装されていないのは最終の12番艦、「夕月」のみ。読んで字のごとく「夕方の月」を意味する艦名で、1927年7月25日に竣工した。開戦時は僚艦と共に第23駆逐隊を編成、第2航空戦隊に属して空母を護る任務にあった。しかし、航続力などの関係からハワイ作戦に向かうことはなく、南洋部隊に配属された。太平洋戦争はグアム島攻略戦に始まり、苦戦する僚艦を支援する第二次ウェーク島攻略戦、1942年1月はラバウル攻略に参加した。5月のMO作戦ではツラギ島攻略にあたったが、空母機の攻撃で小破している。

6月以降は活動の場をソロモンに移し、護衛や攻略作戦に従事。その後、1942年末まで内南洋で船団護衛、途中で内地で行動しながら、1944年6月から呉～台湾～フィリピン間で再び護衛任務に就いた。大戦の趨勢が決したレイテ沖海戦以後も働き続けた「夕月」だが、輸送作戦中の1944年12月12日、フィリピンのオルモック湾で空襲を受けて沈没した。この時、僚艦「卯月」も沈んで睦月型は全滅した。

## 駆逐艦の艦名その1

故・片桐大自氏が竟生の大著『聯合艦隊軍艦銘銘伝』で「日本の艦名には詩があった。夢があった。」と記したように、日本軍艦には他国の軍艦が絶対に持ち得ない、美しい艦名が与えられている。では日本軍艦の艦名はどのように定められたか？

明治初年、日本海軍の創設間もないころは、海軍卿（のちの海軍大臣）が候補を作って太政大臣に提出、天皇の裁可を得て命名する手続きがとられていた。1885年以降は海軍大臣が天皇に上奏、裁可を得て命名した。この形式は1891年まで続き、以後は海軍大臣が侍従長を通して天皇の裁定を仰いでいた。1艦につき2案を奏して1案が選ばれることになっていたかが、時には明治天皇自らが別の名を選んだという。

やがて1902年5月16日付で、駆逐艦の命名は海軍大臣に委任され、天皇の裁定は不要となった。1921年には戦艦以降もすべて委任制となる。駆逐艦の命名基準が定められたのは1905年で、この時に一等駆逐艦が天象地象から、二等駆逐艦が植物からとされた。その数年後、一時的に命名基準が改正され、「第一駆逐艦」など番号制となっている。

また、1943年6月4日には甲型駆逐艦（陽炎型など）が雨や潮、乙型駆逐艦（秋月型）が月、風、雲、季節、丁型駆逐艦（松型、改松型）が草木からの命名となった。

ただし、1922年から就役を開始した神風型は同時期に命名基準が改正されており、1番艦「神風」は竣工当初に「第一駆逐艦」、1924年4月には「号」を入れることが定められて「第一号駆逐艦」となった。しかし番号制度はなじまなかったものか、1928年8月に旧来の基準となり、「第一号駆逐艦」は「神風」となり、9番艦までは風または凪が艦名に含まれている。軍艦ファンの見地からは、嬉しい変更だ。

続く睦月型は1～4番艦まで、すなわち「睦月」「如月」「弥生」「卯月」までが竣工時はそれぞれ「第一九号駆逐艦」「第二一号駆逐艦」「第二三号駆逐艦」「第二七号駆逐艦」の奇数番号が与えられた。偶数は二等駆逐艦（若竹型）に振られたもので、固有の艦名に慣れた現在の目では煩雑なことをしたと思える。また5番艦つまり「第二七号駆逐艦」（のちの「皐月」）以降は、「第二八号駆逐艦」、「第二九号駆逐艦」と連番になっていよいよややこしいが、1928年に命名基準が旧来に戻され艦名に月を含めて命名された。

竣工時の艦名が番号だったのは、睦月型に続く吹雪型までとなった。実際に数字の艦名となったのは6番艦の「第四〇号駆逐艦」→「東雲」、7番艦の「第四一号駆逐艦」→「薄雲」、8番艦の「第四二号駆逐艦」→「白雲」、9番艦の「第四三号駆逐艦」→「磯波」で、これらは命名基準が再度改正される1928年8月以前に竣工したためだ。なお進水時、1番艦は「第三五号駆逐艦」、2番艦は「第三六号駆逐艦」、4番艦は「第三八号駆逐艦」となっていたが、竣工時は順に「吹雪」「白雪」「深雪」の艦名になっていた。他艦も計画時に予定番号は有したが、命名されることはなかった。

綾波型（特Ⅱ型）以降は天象地象によって命名され、先述のように1943年には新たな基準も追加され、一部の命名基準は現在の護衛艦艇にも適用されている。

また、改白露型と呼ぶこともある白露型の後期建造艦4隻は、それ以前となる雨の名称（「白露」「時雨」ほか）から風の名称（「海風」「山風」ほか）になるなど、同型艦の中でもなんらかの理由で命名基準が変わることもある。

# 吹雪型駆逐艦

## 登場時は世界最強を誇った重武装 列強が青ざめたその名は吹雪型！

**1921年にワシントン軍縮条約が締結されると、八八艦隊計画は事実上、消滅した。主力艦（戦艦）の保有量で対米英の6割という制限を課せられた日本海軍は、保有制限のなかった巡洋艦以下の補助艦艇を増強する。吹雪型は、こうした背景のもと整備が進められた駆逐艦である**

文／松田孝宏

### 日本海軍駆逐艦 白雪 1941年

日本海軍駆逐艦 白雪
ピットロード1/700
インジェクションプラスチックキット
製作／岩重多四郎

重武装、高速力、航洋力を
兼ね備えた画期的な大型駆逐艦の
ネームシップ吹雪です！

1921年に締結されたワシントン軍縮条約で、各国は主力艦の保有量が制限され、日本は対米6割とされた。これは国防に支障を来すとして、制限のない補助艦艇を増強、いわゆる「個艦優位」の思想も生まれた。駆逐艦も例外ではなく、峯風型、神風型、睦月型よりも強力な新型が求められた。

このため軍令部は1924年、艦政本部に対し、速力は神風型と同等、砲撃力を12cm砲4門から12.7cm砲6門、53cmまたは61cm魚雷6射線から61cm9射線と攻撃力を増強、航洋性能も同等かそれ以上となる新型駆逐艦を要望した。

これが実現すれば、従来の駆逐艦から飛躍的に強力な性能となり、主力艦が劣勢なままで迎える艦隊決戦においても強力な戦力になりうると考えられた。この過酷な要望に対し、艦政本部は「特型駆逐艦対策委員会」を設け、1928年6月30日の「磯波」（当時は「第四三号駆逐艦」）より順次、竣工を開始した。このことから、以後3グループに大別された同型艦群を現在でも「特型」と総称することがある（最初に建造された9隻は吹雪型や特Ⅰ型などと称されるが、本書の表記は基本的に吹雪型を優先する）。

特型の高性能は世界列強に大きな衝撃を与えたが、ロンドン軍縮条約での補助艦艇の制限を招いてしまった。

吹雪型もまた、第4艦隊事件の影響から逃れることはできなかった。特に「初雪」「夕霧」は波浪により艦首が切断され、船体強度上の欠陥が露呈してしまった。開戦後、戦訓により対空兵装が増強され、1944年に健在だった艦は2番砲塔を撤去して25mm3連装機銃を2基増備したと推定される。

吹雪型は1944年10月に沈没の「浦波」を最後にすべてが沈没しており、激しい戦いが偲ばれる。

## 吹雪《フブキ》

### 歴戦の1番艦 ソロモンに消ゆ

1番艦「吹雪」は、「強い風を伴って激しく降る雪」を由来として1928年8月10日に竣工した。上海事変、日華事変に出動後、太平洋戦争は第11駆逐隊を編成、第3水雷戦隊に所属して南方作戦で開戦を迎える。マレー、ボルネオ攻略に参加後、1942年1月27日は緒戦の水上戦闘となるエンドウ沖海戦に参加した。2月のシンガポール封鎖作戦では、3隻のイギリス艦船を「吹雪」単艦で捕獲したと伝えられる。以後も多くの南方作戦に従事した。ガダルカナル島には何度も輸送任務に赴いたが、1942年10月11日〜12日のサボ島沖海戦において、米艦のレーダー射撃によって沈没した。

## 白雪《シラユキ》

### エンドウ沖海戦の 一番槍として奮闘

2番艦「白雪」は、読んで字のごとく「真っ白い雪」が艦名の由来となる。1928年12月18日に竣工した。太平洋戦争以前より第11駆逐隊を編成し、中国方面の作戦に従事した。大戦のトリガーとなった、1940年9月の北部仏印進駐作戦にも参加し、南方部隊で開戦。1942年1月27日のエンドウ沖海戦では、イギリス駆逐艦「サネット」「ヴァンパイア」をまず「白雪」が迎え撃っている。以後もバタビア沖海戦、ベンガル湾機動作戦、ソロモンの戦闘と撤収など各地で戦い続けた。しかし1943年3月2日、ニューギニア方面の輸送に際して「ダンピールの悲劇」と称される戦闘で沈没した。

## 初雪《ハツユキ》

### 艦首切断の不運も 戦時中には活躍

3番艦「初雪」は「冬になって初めて降る雪」を由来とする。1929年3月30日に竣工した。1935年9月26日の第4艦隊事件で艦首部を切断、救助の手段はなく機密書類保護のためと砲撃で沈められた話が伝わる。太平洋戦争は第11駆逐隊を編成、南方部隊の一員として迎えた。英艦艇と交戦したエンドウ沖海戦においては、近年、栗田艦隊の反転は参謀の捏造とする証言と著作を遺した深井俊之助元少佐がこの時「初雪」砲術長職にあり、砲撃戦に自信を得たと述懐している。ソロモンの戦いでも活躍を重ねたが1943年7月17日、ブインで米軍機の攻撃により沈没。

## 深雪《ミユキ》

### 僚艦と衝突 沈没の不運に泣く

4番艦「深雪」は「深く積もった雪」が由来となり、戦前の出版物ではしばしば本艦までの4隻を「雪級（ゆきクラス）」と紹介した。1929年6月29日の竣工間もなく、雪級で第11駆逐隊が編成されている。1933年6月29日、済州島方面で演習中、「電」と衝突した「深雪」は船体を二分。後部はかなり長く浮いており、乗員は応急処置に励んだが浸水により沈んだ。「那珂」に曳航されていた前部も、放棄のやむなきに至った。海軍省の公表では、濛気と煙幕で視界不良の海上を高速で接近したためとされている。まったくの偶然ながら、「深雪」は竣工と沈没が同日、すなわち6月29日となった。

## 叢雲《ムラクモ》

### ガ島の輸送に 活躍の殊勲艦

5番艦「叢雲」は「群がった雲」を由来に1929年5月10日に竣工した。明治に竣工した初代「叢雲」は、初めて天象地象を艦名とした駆逐艦であった。「第4艦隊事件」では船体が歪んで、設計の不手際が露呈した。日華事変や北部仏印進駐に参加後、太平洋戦争では第12駆逐隊として第3水雷戦隊に所属、マレー、ボルネオ、ジャワの攻略に参加した。1942年8月からはガダルカナル島への増援輸送に赴くこと7回、何度か損傷しながら修理のうえ行動を続けた。しかし10月12日のサボ島沖海戦では僚艦「吹雪」が沈没、「叢雲」もニュージョージア島沖で空襲を受け沈没した。

## 磯波《イソナミ》

### 「浦波」と二度 衝突した奇縁

9番艦「磯波」は「磯に打ち寄せる波」を由来に命名され、1928年6月30日に竣工した。9番艦ながら、吹雪型では最初に竣工した艦である。「浦波」「敷波」「綾波」と共に第19駆逐隊を編成した期間が長く、中国方面に出動準備中の1937年8月19日に「浦波」との接触事故で修理を余儀なくされた。太平洋戦争はマレー部隊として第3水雷戦隊に所属、船団護衛を行なった。1942年に入ると2月に蘭印作戦、6月のミッドウェー作戦では主力部隊の警戒隊として出撃している。同月9日、「磯波」はまたもや「浦波」と衝突事故を起こしている。船団護衛中の1943年4月3日、米潜水艦の雷撃で沈没。

## 浦波《ウラナミ》

### 19駆ひとすじ 15年の生涯

10番艦「浦波」は「浦に打ち寄せる波」が由来で、浦とは海辺のことである。1929年6月30日の竣工後、第19駆逐隊に編入され沈没まで15年間所属した。「磯波」との2回もの衝突事故は、同艦の項に記したとおりである。太平洋戦争はマレー作戦で迎え、蘭印作戦、ミッドウェー作戦など第19駆逐隊の僚艦同様に行動。1942年8月からのガダルカナル島戦においては、第三次ソロモン海戦で僚艦と協同で米駆逐艦3隻を沈めたと記録されている。この時に沈んだ「綾波」の乗員は「浦波」が救助した。1944年10月26日、陸軍部隊をオルモック湾に運んだのち米軍機の空襲で沈んだ。

## 未登場の吹雪型駆逐艦

現在、未登場の吹雪型は「東雲」「薄雲」「白雲」の3隻。各艦を紹介しよう。

6番艦「東雲」は「夜明けの薄明かり」、転じて「夜明け」そのものを意味する艦名が付けられた。竣工は1928年7月25日、当初は「第四〇号駆逐艦」であった。開戦時はマレー上陸作戦を支援したが、1941年12月17日にボルネオのミリ泊地で触雷（空襲とする資料もある）して沈没。吹雪型で2番目に竣工、2番目に失われた。

7番艦「薄雲」は「薄くたなびいた雲」に由来するが、1928年7月26日の竣工時は「第四一号駆逐艦」であった。日華事変では1940年の沿岸封鎖作戦で触雷、艦の中央部を大破して、事変中最大の損害を被った艦となった。このため開戦時は第一線に出られず、1942年3月ようやく北方部隊に編入されている。アッツ島沖海戦やキスカ島撤収などに参加後、1944年2月から千島・北海道で船団護衛にあたっていたが、小樽から北千島へ船団護衛中の7月19日、米潜水艦の雷撃により沈没した。

8番艦「白雲」はずばり「白い雲」が由来で、1928年7月28日に「第四二号駆逐艦」として竣工。南方作戦、ソロモンの戦いを経て1943年後期から護衛任務にあたった。船団を護衛して千島に向かっていた1944年3月16日、米潜水艦に沈められた。

**艦これ はみだしコラム** ヘルメット着用は司令官の命令!?／1943年3月に、第3水雷戦隊の護衛を受けてラバウルからニューギニアへ向かった輸送船団が空襲により全滅の憂き目を見たのが“ダンピール海峡の悲劇”と呼ばれる戦いだが、この3水戦の司令官はのちにキスカ撤収作戦を成功に導く木村昌福少将だった。この戦闘自体は一方的な日本側の敗北だが、その対空戦闘の際には着用していたヘルメットで数多くの乗員たちが命拾いしている。じつはこれは木村少将が直々に出した指示によるもので、少将自身もこの空襲で負傷したものの、深手にならずにすぐにキスカへ転戦することができたのである。

# 綾波型駆逐艦

## 吹雪型の各所を改正<br>殊勲艦や強運艦を輩出する

**1927年度予算で成立した駆逐艦は、いずれも建造中の特型に属しながらも、各種の改正が行なわれて吹雪型ではなく、綾波型（または特Ⅱ型）とされた。綾波型に施された改正により、以後の日本駆逐艦のスタイルが形作られていくことになったのである**

文／松田孝宏

**日本海軍駆逐艦 潮**
**1945年**

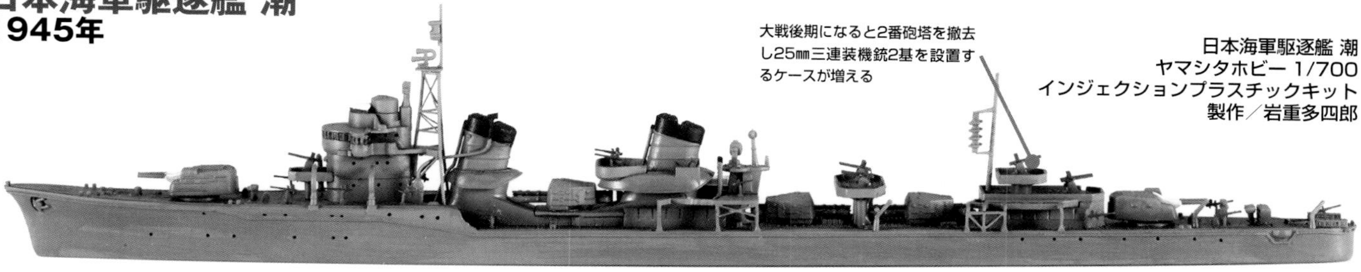


日本海軍駆逐艦 潮
ヤマシタホビー 1/700
インジェクションプラスチックキット
製作／岩重多四郎

特型駆逐艦の改良タイプ
綾波です。
夜戦ならばお任せください

1927年度計画で建造された15隻の駆逐艦は特型とされたが、既存同型艦から各部が改正されており、綾波型（または特Ⅱ型）とされた。その特徴は36ページに詳述したが、備砲や給気孔の変更など、模型で比べてみると変化が明瞭に理解できる。また建造時期によって改正が施され、実際に綾波型と分類された10隻のうち、「朧」以後の4隻は小改正を加えられたため改Ⅱ型またはⅡ型後期艦と呼ばれることもある。また、15隻の計画のうち最後の4隻は再度計画を変更、暁型（あるいは特Ⅲ型）となった。

1934年に発生した友鶴事件の影響により、他艦同様に綾波型も性能改善工事を受けており、上部構造物の縮小や煙突の短縮、重心を低減させるためバラストやバラストキールを積んだ。しかし1935年の第4艦隊事件では、吹雪型、綾波型、暁型すべての船体強度が不足していることが判明してまった。このため大規模な改正工事が実施され、補強工事により外見的特徴のひとつとなる船首楼形状が変わった。船体強化のため重量も増加して速力の低下を招いたが、大戦中さほど問題にはならなかったようだ。

開戦時、一部の綾波型は竣工時に装備した7.7mm機銃を13mm機銃に換装していた。これが1943年になると艦橋前面に13mmまたは25mm連装機銃を増設したが、戦況からさらなる武装強化が求められ、2番砲塔と3基（または2基）の13mm機銃を撤去して、25mm3連装機銃（一部は連装）5基を装備した。しかし、一部の艦は施工することなく戦没した可能性も高く、戦時中の変遷はモデラーや研究者泣かせだ。電探が装備されたのは、1944年夏以降に残存した「潮」「曙」と思われている。

綾波型は、第三次ソロモン海戦で空前の戦果を挙げた「綾波」、数少ない終戦時の残存艦となる「潮」、のちの米大統領ケネディ中尉の魚雷艇を沈めた「天霧」など、戦史にも記憶にも残る艦も多い。「潮」以外はすべてが沈んだが、開戦から終戦まで各地での戦功は特筆されるべきものである。

## 綾波《アヤナミ》

### 一晩で撃沈破4隻 最高の殊勲艦

綾波型の1番艦、特型では11番艦となる「綾波」は、「重なり合って寄せる波」を意味する。1935年4月30日に竣工した。1937年の上海事変、同12年の日華事変に出動、1941年12月勃発の太平洋戦争は第19駆逐隊として南方部隊に所属していた。1942年11月14日、ガダルカナル島をめぐる第三次ソロモン海戦では米駆逐艦4隻を撃沈・撃破する戦果を挙げたのちに沈没。乗員らに敗北感は皆無で、海面で高らかに軍歌を唄いながら救助を待っていた。

## 天霧《アマギリ》

### 若きケネディの 魚雷艇を撃沈！

綾波型の5番艦、特型では15番艦となる「天霧」は霧そのものの美称となる「天の霧」を由来に1930年11月10日に竣工した。太平洋戦争は南方部隊のマレー攻略に参加。ガダルカナル島の戦いでは輸送に戦闘に活躍したが、1943年8月2日、ベラ湾で米魚雷艇「PT109」と交戦、体当たりで撃沈した戦いが著名である。同艇には、のちの米大統領、ケネディ中尉が指揮していた。1944年4月23日、触雷して沈没。

## 朧《オボロ》

### 轟沈で全員が 戦死の壮絶な最期

綾波型の7番艦、特型では17番艦となる「朧」は「薄く曇るさま」を意味する漢字一文字を艦名とした。1931年10月31日に竣工、間もなく翌年2月に始まった上海事変では特別陸戦隊を揚陸して、上陸地点の占領にあたった。太平洋戦争開戦時は駆逐隊に属さず、南洋部隊に配属されグアム島攻略に参加。1942年7月17日、キスカ島へ弾薬を輸送する途中、米軍機の空襲を受け2機を撃墜するものの輸送中の弾薬が爆発して轟沈、全員が戦死した。

## 漣《サザナミ》

### ミッドウェー島 砲撃で迎えた開戦

綾波型の9番艦、特型では19番艦となる「漣」は「小波」とも表記され、「細かに立つ波」を由来に1932年5月19日に竣工した。中国や仏印の作戦を経て、太平洋戦争開戦は「潮」と共にミッドウェー島砲撃を行なった。MO作戦、ミッドウェー作戦、ソロモンの戦いと戦歴は豊富であった。しかし1944年1月14日、北東方面艦隊の第1水雷戦隊に属していた「漣」は、パラオ諸島東方で米潜水艦の雷撃により沈没、全員が戦死する壮絶な最期を迎えた。

## 潮《ウシホ》

### 行動不能ながら 終戦時に残存

綾波型では最終の10番艦、特型では20番艦となる「潮」の艦名は、「潮流」の古語を意味する。1931年11月14日に竣工、3カ月後の上海事変には最新鋭駆逐艦として参加した。太平洋戦争開戦時は「漣」と行動、1942年初めから蘭印部隊に編入されたのち、各地を転戦した。マリアナ沖海戦、スリガオ海峡海戦（レイテ沖海戦の一環）など大戦末期の戦いからも生還した「潮」は、行動不能ながら終戦時に残存しており、戦後の1948年に解体された。

## 敷波《シキナミ》

### 綾波型では 大戦後期まで活躍

綾波型の2番艦、特型では12番艦の「敷波」は、「しきりに打ち寄せる波」を由来に1929年12月24日に竣工した。中国戦線の行動は「綾波」と同様で、対米英開戦時は第19駆逐隊としてマレー部隊に属していた。緒戦の行動は僚艦と同様である。1942年3月から4月に行われたベンガル湾機動作戦（通商破壊作戦）には「敷波」も参加した。ガダルカナル島への輸送は6回を数えた。1944年9月12日、海南島東方で米潜水艦の雷撃を受けて沈没した。

## 狭霧《サギリ》

### 潜水艦に撃沈された 駆逐艦第一号

綾波型6番艦、特型では16番艦となる「狭霧」。「狭」は「狭い」という意味ではなく「さ」は接頭字となり、霧を意味する美称が艦名に用いられた。1931年1月31日の竣工後、「朝霧」「天霧」「夕霧」らと共に「霧」の名を持つ綾波型で第8駆逐隊を編成。日本海軍の艦艇で、霧が艦名に含まれるのは実に「狭霧」と先述の3隻のみであった。開戦時は南方部隊に所属したが、1941年12月24日にオランダ潜水艦の雷撃で沈んだ。

## 曙《アケボノ》

### 主戦場は北方なるも マニラ湾に沈む

綾波型の8番艦、特型では18番艦となる「曙」の艦名は、「東の空がしだいに白んでゆく頃」を意味しており、『枕草紙』の冒頭「春はあけぼの」で知られている。1931年7月31日に竣工、開戦時は「朧」「漣」「潮」ら漢字一文字の僚艦と第7駆逐隊を編成していたが、実際には各艦は個別に行動、「曙」は柱島の主力部隊に属していた。開戦後は北方での作戦が多かったが、マニラ湾在泊中の1944年11月13日、米軍機の空襲で沈んだ。

## 未登場の綾波型駆逐艦

「朝霧」および「夕霧」が、現在のところ未登場である。綾波型3番艦にして特型では13番艦の「朝霧」は、「朝に立つ霧」を由来に1930年6月30日に竣工した。上海事変や日華事変に出動し、太平洋戦争前から豊富な戦歴を誇る。太平洋戦争開戦時は第3水雷戦隊を成す第20駆逐隊を編成してマレー作戦に参加した。1942年はトラック島に進出後、ガダルカナル島に向かう船団を護衛中の8月28日に空襲で沈没した。

一方、綾波型4番艦にして特型では14番艦の「夕霧」は「夕方に立つ霧」が由来で、1930年12月3日に竣工した。中国戦線から太平洋戦争緒戦の戦歴は「霧」の名を持つ僚艦と同様である。1943年11月25日のセント・ジョージ岬沖海戦には「夕霧」も参加していたが、レーダー射撃に敗れて沈没した。「朝霧」「夕霧」と対になり、かつ数少ない「霧」の名を持つ艦だけに、実装が望まれるところだ。

## 3タイプに分かれる吹雪型駆逐艦

いわる特型駆逐艦は吹雪型（特Ⅰ型）、綾波型（特Ⅱ型）、暁型（特Ⅲ型）に分けられている。綾波型は、備砲を吹雪型のA型砲からB型砲に変更、対空射撃が可能となった。煙突付近の給気孔は吹雪型ではキセル状だが、海水が侵入するので綾波型はお椀をかぶせた形状に変更、以後の日本駆逐艦の標準スタイルとして定着した。後期に建造された「朧」「曙」「漣」「潮」は煙突などに小改正が加えられており、改Ⅱ型、Ⅱ型後期艦とも呼ぶ。

なお、綾波型の船体に、B型砲の完成を待たず吹雪型のA型砲を装備して完成した「浦波」は改Ⅰ型とされ、吹雪型の最終艦に位置づけられている。

最後となる暁型では高効率ボイラーが採用されて従来の4基から3基となり、排煙路が1本となった一番煙突は細い丸型となった。魚雷発射管の防盾も新造時より装着しており、各種指揮所の設置で艦橋も大型化している。いずれの型も性能改善工事や大戦中の武装強化などで、1934年に沈んだ「深雪」以外は外見を変えている。

# 暁型駆逐艦

## 「特型」の最後を飾る4隻は重厚、重装備、重量級の暁型

**暁型と呼ばれる最後の4隻は、新開発のボイラーによって排煙路が減ったため煙突が細くなった。しかし艦橋に指揮所を階段状に新設するなど重量軽減は果たされず、吹雪型よりも重量が増大、かつ補助艦艇の建造も制限されたことから大型駆逐艦の系譜はひとまず休止となった**

**日本海軍駆逐艦 電**
**1941年**

日本海軍駆逐艦 電
ヤマシタホビー 1/700
インジェクションプラスチックキット
製作／岩重多四郎

吹雪型駆逐艦にさらなる改良を加え
特型駆逐艦の完成形と呼ばれたのが
私たち暁型なのよ

1927年度予算で成立した駆逐艦15隻のうち、1隻は吹雪型の「浦波」（改Ⅰ型とも）、それ以外の10隻は綾波型として建造が進んだが、残る4隻は計画を変更して暁型（または特Ⅲ型）として建造された。

相違点は外観に顕著で、まず新型ボイラーのおかげで煙路が減り、1番煙突は細く丸いものとなった。これで軽減した重量は重油の搭載量増加にあてている。艦橋には、羅針艦橋の上に魚雷発射指揮所、その上に射撃指揮所、方位盤、測距儀などを階段状に置いた。さらに発射管には新造時から防盾を装着しており、重量がかなり増大し重心も上昇した。

このため、友鶴事件や第4艦隊事件を受けての性能改善工事は、吹雪型、綾波型よりも大がかりとなり（詳細は38ページ参照）、37ノットだった速力も34.5ノットに低下している。

暁型の建造時はロンドン軍縮条約によって補助艦艇も保有制限が課せられ、加えて1500トン以下の駆逐艦しか建造できなくなり、条約が明けるまで大型駆逐艦の建造は途絶えることになった。

開戦時は2番煙突部の13mm単装機銃を連装に換装したとされているが、スペースの関係から疑問視する声もある。

暁型もまた大戦中に武装強化を施しており、1943年には艦橋前に25mm連装機銃、2、3番発射管の間に立つ測距儀台の両側に25mm3連装機銃が計2基装備されている。1944年は2番砲塔を撤去して25mm連装機銃を2基設置、同時に二二号および一三号電探を装備したと考えられるが写真が残されていないケースも多く推測も含まれる。

緒戦から南方で戦った暁型は「暁」が1942年11月と比較的早期に沈んだが、ほかは1944年4月に「雷」、5月に「電」が沈没と大戦後半まで戦い、「響」は「潮」と共に残存した特型となった。

## 暁《アカツキ》

### 夜戦で奮闘の沈没に悔いなし

暁型1番艦、特型では21番艦の「暁」は「明時（あかとき）」すなわち「夜半から夜の明けるころ」が艦名の由来となる。1932年11月30日に竣工、日華事変や仏印進駐作戦に参加した。太平洋戦争開戦時は「響」と共に南方部隊本隊に所属、南方作戦全般の支援にあたった。1941年末から42年初頭にかけては、南方の攻略作戦に参加した。1942年6月のアリューシャン作戦後はガダルカナル島の増援作戦が主となり、敵艦と交戦して小破したこともある。11月の第三次ソロモン海戦では「比叡」「霧島」の直衛として参加、機銃弾すら飛び交う乱闘のごとき夜戦で奮闘、ついに沈没した。

## 響《ヒビキ》

### 大戦を生き抜いた「不死鳥」の「響」

暁型では2番艦、特型では22番艦の「響」とは、「音が広がり伝わる」ことを意味する。1933年3月30日に竣工、特型全グループでも最後に完成した艦である。僚艦同様に日華事変や仏印作戦に従事、太平洋戦争は第6駆逐隊の一員として南方作戦の支援にあたり、その後は南方、北方、内南洋での活動とマリアナ沖海戦、内地と台湾間の輸送など各方面で働き続けた。その間、3度の損傷で修理を余儀なくされており、1945年4月に水上特攻隊として出撃する「大和」に同行する予定も、触雷で不参加となった。終戦時は残存し、1947年にソ連へ賠償艦として譲渡され「ヴェールヌイ」となった。

## 雷《イカヅチ》

### 三度得た水上戦闘の機会

暁型3番艦、特型では23番艦の「雷」は「カミナリの古語」が艦名となった。1932年8月15日に竣工。総じて「電」との行動が多く、字面も似ているため郵便の誤配も多かったという。太平洋戦争開戦時の2隻は臨時に第二遣支艦隊の指揮下で香港攻略に参加している。1941年12月26日は本来の所属である南方部隊に戻り、各地の攻略戦やバタビア沖海戦に参加した。1942年6月のアリューシャン作戦では、アッツ島攻略に参加している。その後、第三次ソロモン海戦やアッツ島沖海戦など水上戦闘の機会に恵まれたが、船団護衛中の1944年4月13日、米潜水艦の雷撃で沈没。全員戦死と推定された。

## 電《イナヅマ》

### 敵兵救助により世界に響いた人道

暁型4番艦、特型でも24番艦にして最終艦の「電」は、「いな光り」の現象が艦名の由来となる。1932年10月15日に竣工、「雷」との行動が多い。太平洋戦争緒戦の行動も「雷」と一緒である。「電」は近年、1942年前半のバタビア沖海戦で、漂流する敵兵を工藤艦長の命令で救助した美談が広く膾炙したが、近くにいた兵によれば「助けてやれよ」と何気なく命じたに過ぎないという。1942年6月に第5艦隊の一員としてアッツ島を攻略後、アリューシャン、ソロモンなどで輸送や護衛に従事。1944年5月14日、セレベス海で米潜水艦に撃沈された。姉妹艦「電」の沈没からほぼ1カ月後であった。

## 友鶴事件、第4艦隊事件によって影響を受けた暁型駆逐艦

暁型は1番煙突がコンパクトになったぶんを艦橋構造物の増備にあてたため、新造時は吹雪型、綾波型よりも大型の艦橋を有していた。しかし日本軍艦の復原性不足かが露呈した1934年の友鶴事件を受け、この対策を講じているうちに「深雪」が「電」と衝突して沈没、1935年の第4艦隊事件では特型の船体強度不足も明らかになった。

そのため暁型は艦橋をコンパクトにしたことはもちろん、マストも小型化、かつ伝声管も撤去した。その結果は模型の写真でも明らかである。重心を降下させるためバラストキールを装着、船体は外板の強化や肋骨、梁などの補強で速度が低下している。

## 建造 吹雪型駆逐艦模型紹介

日本海軍の駆逐艦の中でエポックメイキング的存在である吹雪型駆逐艦。特型駆逐艦ともいわれるその存在感は他の駆逐艦とは一線を画している。インジェクションプラスチックキットとしては1972年発売のウォーターラインシリーズ、タミヤのキットが長らく決定版として知られていた。吹雪型は基本的に初期グループの吹雪型（いわゆる特I型）、中期グループの綾波型（特II型）、後期グループの暁型（特III型）の3タイプに分類される。タミヤのキットはこの3タイプについてそれぞれ戦争前期、戦争後期の状態でキット化、合計6タイプを開発した。インジェクションプラスチックキットでは長らくこのタミヤのキットのみしかない状態が続いていたが2007年よりピットロードが吹雪型を開発、特I～特IIIのそれぞれ前後期型を発売した。

吹雪型については2000年代以降に研究が進み、従来から言われていたような特I～特IIIには収まりきらないさまざまなバリエーションがあることがわかってきた。詳細に見ると数隻ごとにディテールが異なることが判明している。そのような細部にまで注目して発売されたのがヤマシタホビーのキット。2015年に発売されたキットは組み立てやすさと精密さを兼ね備えた内容で艦船ファンの心を捉えている。

**艦これ はみだしコラム**

伊達じゃないのよ、舷側のフレアは／特型駆逐艦のデザインは峯風型から睦月型までのものから一新され、のちの日本駆逐艦のスタンダードを確立したと言える。だが、その最大の特徴は、通常は艦首にのみ付けられるフレアを、艦尾に至るまでの広範囲に付けたこと（上甲板に向かって、舷側がラッパ状に広がった断面をしている）。これはとくに特型の凌波性を高めるものとなり、いざ演習ともなると水雷戦隊旗艦である5500トン級軽巡洋艦が波に上下に揺れながら航行しているのを尻目に、スーッっと進む様子を見せつけた。

# 初春型駆逐艦

## 小ぶりの船体に欲張った「全部乗せ」はやはり無理あり

**ロンドン軍縮条約で駆逐艦ほか補助艦艇の保有量も制限されると、日本海軍はいよいよ個艦の性能を重視、新型駆逐艦にも過大な性能を要求した。これに応じて初春型駆逐艦が計画されたが、完成していざ運用してみると、多くの欠陥が判明し、何度もの改善工事を余儀なくされてしまった**

文／松田孝宏

**日本海軍駆逐艦 初霜**
**1945年**

日本海軍駆逐艦 初春
青島文化教材社1/700
インジェクションプラスチックキット
製作／岩重多四郎

ワシントン海軍軍縮条約によって主力艦の保有量を制限された日本海軍は、巡洋艦以下の補助艦艇の性能向上に努めた。特型駆逐艦や古鷹型巡洋艦は各国を驚かせたが、その性能を警戒してロンドン海軍軍縮条約が企図されたとも言われている。

ロンドン条約で日本は、補助艦艇の保有量が米英に比して7割となり、駆逐艦の総保有量は10万5500トン、そのうち1500トン以上は保有量の16％とされた。そして1680トンの吹雪型、綾波型、暁型の24隻が竣工または建造中の当時、日本は1500トン以下の駆逐艦しか建造できない状況にあった。

これに対して軍令部は、個艦の性能を向上させるべく第一次海軍軍備補充計画における駆逐艦12隻は、基準排水量1400トンの船体に12.7cm砲5門、61cm魚雷発射管9門、速力36.5ノットという、吹雪型より砲が1門少ないだけとなる無理のある要求を盛り込んだ。

これに応じて1933年9月に1番艦「初春」と2番艦「子日」が竣工したが、公試運転中に復原力が劣悪と判明した。以後は性能改善工事の連続となり、最終的には平凡な性能の駆逐艦に落ち着くこととなり、建造は6番艦「夕暮」で打ち切られることとなった。

大戦中は全艦が第1水雷戦隊に所属し、1942年7月に沈んだ「子日」以外は段階ごとに武装も強化された。まずは40mm単装機銃を25mm3連装に換装、次は残存していた「初春」「若葉」「初霜」の艦橋前に25mm連装機銃を1基装備、後部の12.7cm単装砲1基を撤去して機銃台と25mm3連装機銃を1基、さらに25mm単装機銃もいくつか装備した。最後に残った「初霜」は25mm、13mm単装機銃と電探が追加されたが、これらは推測も含まれる。各艦、戦闘よりも護衛や輸送作戦での働きが目立つ。

# 初春《ハツハル》

## 広域で護衛や輸送任務に貢献

1番艦「初春」は四季の「春の初め」ではなく新春すなわち正月を意味する言葉が由来となる。1933年9月30日に竣工。開戦時は第21駆逐隊を編成、柱島にあった。1942年に入ると、1月からセレベス島、バリ島攻略戦、6月はアリューシャン作戦でアッツ島の攻略に従事した。しかし同年10月17日、キスカ島付近で爆撃を受けて航行不能となり、1943年9月末まで修理を要した。その後、シンガポール、トラック島、千島、硫黄島、フィリピンと広域で護衛任務に就き、1944年10月のレイテ沖海戦時は志摩艦隊に属したが輸送任務を続けた。11月13日、マニラで米軍機の空襲により沈没した。

# 子日《ネノヒ》

## 初春型では最初の沈没艦

2番艦「子日」の「子」は子どもではなく、十二支で最初に来る「子（ね）」、つまり「ねずみ」の略称が含まれており、平安時代から盛んとなった行事「子の日の遊び」に由来した。竣工の1933年9月30日は1番艦「初春」と同日となった。ただし、小型の船体に強武装を施した初春型は公試の時点で復原性が問題視されており、竣工引き渡し後も「友鶴事件」「第4艦隊事件」など海軍艦艇の設計見直しが急務となった事件が続き、1937年の改装時が真の完成と言える。太平洋戦争では第21駆逐隊として僚艦と共に働いたが、1942年7月5日に米潜水艦の雷撃でアッツ島沖に沈んだ。

# 若葉《ワカバ》

## 僚艦との衝突により惜しくも「奇跡」に参加できず

3番艦「若葉」の艦名は「季節が初夏へ移り、木々の葉が若芽を吹いて新緑の色をなした」状態、すなわち「若葉」に由来する。1934年10月31日に竣工、1941年の仏印作戦に第21駆逐隊は、第1水雷戦隊の一翼として参加した。太平洋戦争開戦は柱島で迎え、各地の攻略戦に従事したのは僚艦と同様である。1942年10月、キスカへの弾薬輸送では行動を共にする「朧」が撃沈され、「若葉」単艦が任務を遂行した。1943年3月30日、「雷」と衝突事故を起こした。キスカ撤収作戦でも衝突事故が発生、損害の大きさから「若葉」は単艦で引き返している。1944年10月24日、スル海で空襲を受けて沈んだ。

# 初霜《ハツシモ》

## 沖縄特攻からも生還した強運艦

4番艦「初霜」の艦名は、「その冬に初めて置かれる霜」に由来する。1934年9月27日に竣工、太平洋戦争は第21駆逐隊の僚艦同様に柱島で迎えた。アリューシャン作戦のアッツ島攻略までは僚艦とほぼ同じ行動で、1943年7月のキスカ撤収作戦では衝突事故が起きたものの「初霜」の損害は軽かった。1945年4月、「大和」の水上特攻に予定されていながら触雷した「響」を曳航後、沖縄に出撃した「初霜」は戦傷2名という奇跡的に僅少な被害で生還した。しかし7月30日、宮津湾の空襲に際して対空戦闘中、触雷して大破。自ら擱座したが、爆雷の誘爆で沈没して最後の初春型も喪失となった。

## 過小な船体に重武装を施して失敗作となった初春型駆逐艦

同日に竣工した「初春」「子日」は、公試運転で復原性能が劣悪と判明、対処としてバルジを装着したが排水量が大幅に増加してしまった。このため6番艦「夕暮」までは改修を加えて建造するが、それ以降は再設計のうえ白露型として建造することとした。

また、「初春」「子日」竣工から半年後の友鶴事件により、低重心化対策のため魚雷発射管を1基減じた。これは3番艦「若葉」と4番艦「初霜」は進水後に実施したが、5番艦「有明」と6番艦「夕暮」は建造中に設計を改めたため、初春後期型や改初春型とも呼ばれる。

さらに1935年の第4艦隊事件では船体強度の不足により再度の改修工事がなされ、任務に従事できるようになった1936年の時点では速力も低下し、平凡な駆逐艦となっていた。思えば初春型にとって、人間で言う幼年期は、改善工事とそれに伴う性能低下の連続であったのだ。

日本海軍駆逐艦 子日
青島文化教材社1/700
インジェクション
プラスチックキット
製作／岩重多四郎

◀新造時の「子日」。「初春」は3基の三連装魚雷発射管を搭載していたが「子日」は2基のみで竣工している。ただし次発装填装置はこの時点ではまだ残されている。

## 建造　初春型駆逐艦模型紹介

初春型のキットは1995年ごろに発売されたピットロードのものと2011年に発売された青島文化教材社のものがある。開発時期があとの青島文化教材社のキットは非常に精密なディテールが施されているのが特徴。両者とも大戦前期仕様の「初春」と大戦後期仕様の「初霜」がキット化されている。

特筆すべきは青島文化教材社の「初春1933」「子日1933」のふたつ。これは大改装以前、竣工当時の状態を再現したもので単なる年次違いのバリエーションキットではなく完全に別物。青島文化教材社のこだわりが感じられるキットだ。

## 未登場の初春型駆逐艦

現在、未登場の初春型は後期型となる「有明」と「夕暮」の2隻である。

5番艦「有明」は「月が空に残りながら夜が明ける」天象を艦名の由来に、1935年3月25日に竣工した。すでに記したように友鶴事件を契機とした改装が4番艦までと違うので、「有明型」とも「初春後期型」とも呼ぶ。竣工後、日華事変や仏印進駐に参加、太平洋戦争開戦時は第1水雷戦隊の第27駆逐隊に僚艦「夕暮」と2隻の白露型駆逐艦と属していた。1942年1月下旬のアンボンやケンダリー攻略作戦から本格的に行動し、ソロモンでは輸送任務を主とした。輸送を終えた1943年7月28日、ニューブリテン島沖で空襲により沈没している。

最終艦にして6番艦の「夕暮」も後期艦で、「夕方、日の暮れるころ」を由来に1935年3月30日に竣工した。開戦時は「有明」と同じ所属先で、主力部隊に属して柱島にあった。1942年5月は「有明」ともども珊瑚海海戦に参加、6月のミッドウェー作戦は主力部隊に所属する「鳳翔」の護衛に就いた。1942年8月25日はオーシャン島の攻略に参加、無血占領となった。11月は第三次ソロモン海戦、1943年7月はコロンバンガラ島沖夜戦にも参加した。1943年7月20日、ラバウルからコロンバンガラ島に輸送を行った帰途、ベララ・ベラ島沖で空襲により沈没した。

「夕暮」と「有明」は他の4艦と船体形状などが異なるためキット化にも恵まれていない。

**艦これ はみだしコラム**

初霜の錨は残った／艦隊型駆逐艦としてはやや小柄な初霜は数々の戦いに参加しているが、そのハイライトと言えるのが1945年4月7日の沖縄水上特攻作戦参加であろう。この戦いからほぼ無傷で帰還した本艦は空襲を避けるために舞鶴へ回航されたが、やがてここへも米軍の魔の手が伸びることとなり、7月15日の対空戦闘中に触雷、海岸へ擱座した状態で終戦を迎えた。その後、解体されるにあたってかつての本艦の軍医長が引き取った主錨が、東京都墨田区にある山田記念病院の入り口に安置されている。

# 白露型駆逐艦

## 初春型を改良した中型駆逐艦
## なお不満を残して計画は中途打ち切り

**初春型駆逐艦に早々に見切りをつけた日本海軍は、新たに別の駆逐艦を計画した。すでに発注していた機材の関係から船体は1700トンの中型駆逐艦となったのが白露型であったが、残念ながら完全に満足のゆく性能には届かず、またもや計画の途中で打ち切られる結果となってしまった**

文／松田孝宏

**日本海軍駆逐艦 春雨**
**1941年**

日本海軍駆逐艦 春雨
フジミ1/700
インジェクションプラスチックキット
製作／岩重多四郎

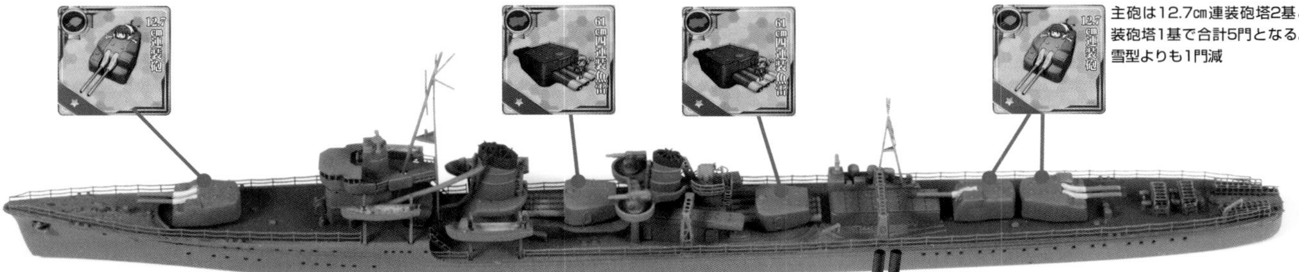


主砲は12.7cm連装砲塔2基と単装砲塔1基で合計5門となる。吹雪型よりも1門減

いっちばんに魚雷発射管が
四連装になった白露型、
実戦でもこの雷装が役立ったんだよ

第一次海軍軍備補充計画による初春型の1400トン型駆逐艦は、過大な要求を盛り込んだ結果として多くの欠陥が浮き彫りとなり、12隻を建造する予定が6隻で打ち切られた。7番艦以降の6隻を再設計したのが白露型駆逐艦となり、1934年以降の第二次補充計画による14隻も同型艦として計画された。

当時の日本は、軍縮条約の脱退を決定していたため排水量を考慮する必要はなかったが、発注済みの機関や機材を活用した1700トンの中型駆逐艦を建造することとした。これにより船体は初春型とほぼ同型ながら、砲力は12.7cm砲5門と同等、発射管は4連装が2基と初春型よりも強化された。

また、建造中に第4艦隊事件が発生したため、船体強度の再検討と強化を実施して完成した。このため充分な復原性能と船体強度を有しながら、要求された35ノットを満たすことができず（一部の艦は公試で達成）、速力に不満を残していた。これが初春型の7～12番艦に相当するもので、船体はつぎはぎだらけとなっていた。続く第二次補充計画の艦は早期に改正が行なわれたこともあり、より洗練された艦型となった。これらを改白露型と称することもあり、特により小型化、軽量化された艦橋でシャープな印象が生じると共に、対空兵装も40mm単装機銃2基から13mm連装2基に強化された。

しかし、第二次計画による14隻は4隻の建造にとどまり、またもや途中打ち切りとなった。

太平洋戦争開戦時は搭載魚雷を酸素式の九三式魚雷に改められていたが、対空兵装は建造時同様に40mmまたは13mm機銃のままであった（戦時中の増強は、43ページを参照）。開戦を主力部隊随伴か南方作戦で迎えた白露型は、消耗激しくすべてが沈んだ。

## 白露《シラツユ》

### 衝突多き生涯 最期もまた衝突

1番艦「白露」は「草木についた露が白く見える」ことから生じた言葉を艦名とした。1936年8月20日に竣工、太平洋戦争は第27駆逐隊として第1水雷戦隊の一翼となり、第1艦隊に所属して主力艦を護って柱島にいた。1942年5月の珊瑚海海戦では機動部隊を護衛して出撃したが、6月のミッドウェー海戦では本来の任務である主力部隊の護衛に戻った。9月からはソロモンで活動、11月はニューギニアで空襲により大破した。1943年11月のブーゲンビル島沖海戦では「五月雨」と衝突している。1944年6月8日、ビアク島沖海戦で損傷、15日に今度は油槽船と衝突して沈んだ。

## 時雨《シグレ》

### 武運めでたき 「佐世保の時雨」

2番艦「時雨」は「通り雨」を意味する言葉が由来で、「しぐれ」は「過ぐる」から出た言葉だという。1936年9月7日に竣工した。「呉の雪風、佐世保の時雨」と称揚された武運艦らしく、1942年5月の珊瑚海海戦を皮切りに、大小で13回の海戦に参加。中でも1944年10月のレイテ沖海戦では、わずか7隻の西村艦隊に唯一の白露型としてスリガオ海峡に突入、僚艦が全滅するなかただ1隻生還を果たした。ベラ湾海戦、ブーゲンビル島沖海戦などでも、「時雨」だけが無傷であった。しかし強運の「時雨」も1945年1月24日、シャム湾で米潜水艦の雷撃を受けて沈没して惜しくも「雪風」には及ばなかった。

## 村雨《ムラサメ》

### 第三次ソロモン海戦では 魚雷一斉射で命中あり

3番艦「村雨」は、「ひとしきり降ってはやみ、やんでは降る雨」が由来で1937年1月7日に竣工した。なお初代「村雨」は明治に竣工した駆逐艦だが、進水当日は故障があったため、再度改めて進水式を行なった記録がある。太平洋戦争勃発時は第2駆逐隊に属し、フィリピン、ボルネオ、ジャワと各地を転戦。1942年2月はスラバヤ沖海戦、6月のミッドウェー作戦では攻略部隊に属していた。同年8月に始まったガダルカナル島の戦いでは、輸送や第三次ソロモン海戦などで何度か損傷している。1943年3月6日、ヴィラ・スタンモーア海戦で優勢なアメリカ水上部隊と交戦、「峯雲」と共に沈没した。

## 夕立《ユフダチ》

### 阿修羅の奮戦の末 ソロモンに沈む

4番艦「夕立」は、私たちの生活でも身近な「夏の午後に空が曇ったかと思うと、たちまち降ってくる激しいにわか雨」を艦名の由来に、1937年1月7日に竣工した。日華事変から太平洋戦争にかけて第2駆逐隊の一員として、第1水雷戦隊次いで第4水雷戦隊で戦った。開戦時は南方部隊としてフィリピン攻略に参加、その後ジャワ攻略やミッドウェー作戦に転じた。ソロモンの戦いではガダルカナル島の増援に5回赴き、最後の戦いは1942年11月13日の第三次ソロモン海戦第一夜戦となった。この戦いで「夕立」は敵艦隊に殴り込み、肉薄攻撃で数隻に損傷を与えたが、自らも傷ついて沈没した。

## 春雨《ハルサメ》

### 歴戦駆逐艦 水上戦闘に散華

5番艦「春雨」は「春降る雨」が由来だが、特に静かに降る細い雨を指す。柔らかな語感だが、初代「春雨」は日露戦争で武勲を立てている。1937年8月26日に竣工した2代目は、「雨」の名を持つ白露型4隻で第2駆逐隊を編成、第4水雷戦隊に属して南方作戦の一環となるフィリピン攻略に参加した。その後もスラバヤ沖海戦、バタビア沖海戦、ミッドウェー作戦、第三次ソロモン海戦など多くの作戦に参加後、しばらくはソロモン方面での活動が続いた。しかし、ビアク島へ陸軍部隊を輸送する際、護衛にあたった駆逐艦は敵艦隊と遭遇、戦闘の末に「春雨」が沈没した。1944年6月7日のことである。

## 五月雨《サミダレ》

### 衝突事故後も戦うが 潜水艦に倒れる

6番艦「五月雨」は「5月の雨」と書くが、新暦では6月に相当するため「梅雨」が艦名の由来となる。松尾芭蕉の句「さみだれを集めてはやし最上川」は、すでにお馴染みと思う。1937年1月29日に竣工、太平洋戦争は僚艦同様に第4水雷戦隊に属する第2駆逐隊の一員として南方作戦を歴戦した。ミッドウェー作戦では攻略部隊、ソロモン戦線ではガダルカナル島の増援と撤収、キスカ島撤収など著名な作戦に参加。1943年11月1日のブーゲンビル島沖海戦では、戦闘中に僚艦「白露」と衝突、かろうじて帰投した。マリアナ沖海戦を経た1944年8月26日、パラオ諸島沖で米潜水艦の雷撃で沈没した。

## 海風《ウミカゼ》

### 護衛と輸送任務を 重ねた「風」の一番手

7番艦「海風」は「海から吹く風」「海の風」が由来で、1937年5月31日に竣工した。「風」を艦名に持つ「山風」「江風」「涼風」とともに第24駆逐隊を編成、開戦時はフィリピン攻略に参加した。以後はボルネオ、ジャワ方面に行動、ミッドウェー作戦にも攻略部隊として参加した。1942年8月以降はソロモン戦線に転戦、ガダルカナル島への増援輸送は5回を重ねた。10月26日の南太平洋海戦後、11月18日のブナへの輸送の際に空襲を受けて損傷、「朝潮」の曳航で帰投した。修理後は護衛や輸送任務に就いたが、1943年11月11日に空襲で中破、1944年2月1日に米潜水艦に撃沈された。

## 山風《ヤマカゼ》

### 無念、白露型の 戦没第一号

8番艦「山風」の艦名は「山から吹いてくる風」「山の中の風」が由来であり、1937年6月30日に竣工した。1941年2月3日、第24駆逐隊は九州有明湾で訓練を行なっていたが、夜半に「涼風」と衝突した「山風」は、艦首を失う大損害を受けている。開戦時は修理も済んでおり、南方作戦に参加して以後もボルネオやジャワの攻略戦に加わった。1942年6月のミッドウェー海戦は主力部隊に同行するが、交戦の機会はなかった。同月25日、大湊への輸送船護衛任務を終えて単艦で柱島へ向かっていたが、東京湾沖で米潜水艦の雷撃により沈没した。白露型では最初の戦没艦となった。

**艦これ はみだしコラム**

艦名はしっかりと書いてください!／まぎらわしい艦名での間違いというのは日本海軍に限ったことではないが、その一部については「海軍省公報」などの資料からうかがい知ることができる。地名と基地名とでは住所が全く違うので気をつけてね、などがそれだ。駆逐艦では陽炎型の「嵐」の艤装員事務所ができたあたりから白露型の「山風」との郵便が双方ごちゃ混ぜになる現象が多発。手紙の宛名は縦書きするものだから間違いが起きるのは当然と言えば当然なのだが、その防止のため、「『山』と『風』を離してきれいな字で書くように」と通達されている。

# 江風《カハカゼ》

## ソロモン戦線の主要海戦に参加

9番艦「江風」の艦名は、「川を吹き渡る風」「川から吹いてくる風」に由来する。1937年4月30日に竣工、開戦時は「風」の名を持つ僚艦たちと第24駆逐隊を編成してフィリピン攻略に参加した。南方作戦で開戦を迎え、いくつかの作戦を経た以後はソロモンに転戦するなど第24駆逐隊に共通した戦歴である。ボルネオやジャワ、ミッドウェー作戦の従事も僚艦と同様で、ソロモンの戦いではガダルカナル島増援、南太平洋海戦、ルンガ沖夜戦など主要作戦に参加。1943年2月9日、ラバウルに回航中に「東運丸」と衝突して損傷した。8月6日のベラ湾海戦で米駆逐艦と交戦、雷撃により沈没した。

# 涼風《スズカゼ》

## 水上戦闘の戦果が光る最終艦

10番艦として白露型の掉尾となる「涼風」は表記同様に「涼しい風」が由来だか、本来は初秋ごろの涼しい風を指す。1937年8月31日に竣工、「風」の名を持つ艦で第24駆逐隊を編成して、第4水雷戦隊の一員としてフィリピン攻略戦で開戦を迎えた。以後の戦歴は僚艦と同様で、ガダルカナル島の増援輸送は5回従事した。1942年11月のルンガ沖夜戦では味方艦と協同で優勢な敵巡洋艦部隊を痛撃、1943年7月のクラ湾夜戦では「谷風」と協同で米軽巡「ヘレナ」を沈めるなど水上戦闘の活躍も目立つ。しかし船団護衛中の1944年1月25日、米潜水艦の雷撃によりポナペ島北方で沈没した。

## 戦時中の対空兵装強化の例

**日本海軍駆逐艦 時雨**
**1944年**

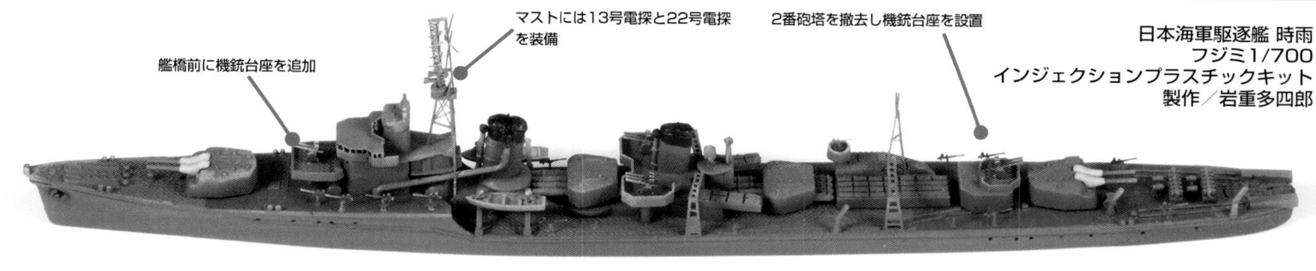


日本海軍駆逐艦 時雨
フジミ1/700
インジェクションプラスチックキット
製作／岩重多四郎

戦訓により、白露型の対空兵装は1942年夏から強化された。当時、健在だった艦は40mm単装と13mm連装が、25mm連装または3連装に改められた。1943年は艦橋前に25mm連装を装備し、煙突両側の25mm連装は3連装にしたと思われている。また1943年末から1944年は日本の駆逐艦の対空兵装が大幅に増強され、残存の白露型も2番砲塔を撤去し、機銃台を設けて25mm3連装機銃を装備した。

日本駆逐艦の砲塔配備は吹雪型以来、船体前部に1基と後部に2基の3基が踏襲されており（初期の初春型などは例外）、これは射界の確保にも都合がよかった。

1944年6月のマリアナ沖海戦以降、戦艦以下の艦艇はさらに対空兵装が増強されるが、白露型は同海戦から2カ月以内に2隻が沈み「時雨」のみ残存となるため、この工事はほとんどの艦には適用されていないと思われる。戦時中の増強や改装工事は、入渠記録などからの推測も多いのが実状だ。

## 建造 白露型駆逐艦模型紹介

白露型駆逐艦は建艦史的には特型駆逐艦と甲型駆逐艦の間に挟まれる地味な存在だが、太平洋戦争では活躍した人気艦も多い。現在流通しているものでもっとも古いキットはタミヤが1972年に発売したもの。かっちりとしたタミヤらしい雰囲気をまとうが全体のシルエットがややアンバランスなのは昔から指摘されている。具体的には上部構造物が前よりになっており艦尾側が実艦よりも長い印象となっている。これらを修正するためには船体から修正する必要があった。そんな中、2011年にピットロードとフジミから相次いで白露型のニューキットが発売された。ピットロードのキットは前期型の「白露」と後期型の「海風」に分かれる。ピットロードのキットのほとんどはフルハルキット／洋上模型の選択式になっておりフルハルキットを作る場合は同社のものを選ぶといいだろう。フジミのキットはいずれも2隻セット。特シリーズに属するものだが精密ディテールは抑え気味で作りやすい。バリエーションは多いが前期型なら「白露」（「白露」と「春雨」のセット）、後期型なら「涼風・海風」を購入するといいだろう。

# 朝潮型駆逐艦

## 初春型以来の試行錯誤の末 ようやく及第点の性能を得る

**第二次海軍軍備補充計画で成立した14隻の白露型駆逐艦建造計画は、4隻を建造したところで打ち切りとなり、計画枠に残る10隻は朝潮型として建造された。タービンのトラブルなどに見舞われたものの、どうにか合格ラインに達する性能を、ようやく得ることができた**

文／松田孝宏

**日本海軍駆逐艦 朝潮**
**1941年**

日本海軍駆逐艦 朝潮
ハセガワ1/700
インジェクションプラスチックキット
製作／岩重多四郎

1934年の第二次海軍軍備補充計画では計画された14隻の白露型駆逐艦は、改白露型、後期型とも呼ばれる4隻を建造して打ち切りとなった。

すでに軍縮条約脱退は既定となっていたが、残る10隻の単艦排水量は条約の制限限度ギリギリとなる1850トンとなる大型の駆逐艦が計画された。武装は12.7cm連装砲3基、61cm4連装発射管2基、速力35ノットと、日本海軍は依然として吹雪型並みの性能を求め続けていた。

また、18ノットで4000浬という航続性能を要求されていたが、高圧、高温蒸気を生み出す新型の艦本式（艦政本部式）ロ号缶が開発された結果、18ノットで約5000浬という予想を上回る好結果を得た。燃費も特型より11%減となった。

しかし1番艦「朝潮」が起工した直後に第4艦隊事件が発生、船体強度を見直した結果、計画速力は34.85ノットに下方修正された。公試では35.29ノットを達成したが、完全に満足できない日本海軍は陽炎型を建造することになる。

むしろ問題は竣工直後、「朝潮」の主機タービン翼が折損していることが発見されたことで、検査した僚艦にも同様の事故が発生していた。この一大事に、艦政本部に臨時機関調査会が設けられて原因究明にあたった結果、朝潮型のタービンのみが一定の振動数に達すると共振現象を起こし、折損することが判明した。友鶴事件や第4艦隊事件のように全艦に影響が及ばなかったことは幸いだったが、翼の強化などの改正工事を行ない問題を解決した朝潮型が艦隊に戻るのは、1940年のことであった。

戦時中は1943年6月に残存した4隻が機銃を増強、1944年6月のマリアナ沖海戦時は2番砲塔を撤去して25mm3連装機銃を2基増備したと思われる。そして朝潮型もまた、全艦が失われた。

## 朝潮《アサシホ》

### 「最上」と「三隈」に寄り添った功労艦

1番艦「朝潮」は「朝に満ちてくる潮」を艦名の由来として、1937年8月31日に竣工した。太平洋戦争開戦時は僚艦「大潮」「満潮」「荒潮」らと第8駆逐隊を編成、第2水雷戦隊に属してマレーやフィリピンなどの上陸作戦を支援した。1942年2月19日はバリ島沖海戦に参加、僚艦「大潮」と共にオランダ艦を痛撃した。6月のミッドウェー海戦では傷ついた「最上」「三隈」の避退を支援したが、敵機の攻撃で小破した。「三隈」沈没後は乗員を救助している。10月からはソロモンで輸送に従事していたが、1943年3月3日、「ダンピールの悲劇」と称されるビスマルク海海戦で沈んだ。

## 大潮《オホシホ》

### 第8駆逐隊で最初に沈没の悲運

2番艦「大潮」の艦名は「干満の差が最も大きい潮」を意味している。1937年10月31日に竣工、太平洋戦争では第8駆逐隊を編成した南方作戦の攻略支援やバリ島沖海戦に参加。この海戦では「大潮」ほか第8駆逐隊は米、蘭艦艇に砲撃を加え数隻を撃沈・撃破する活躍を示したが、「大潮」は命中弾と戦闘終了後の空襲によって損傷、「若葉」の護衛で帰投した。修理後、1943年2月からガダルカナル島撤収作戦に2回参加した。同月20日、アドミラル諸島マヌス島沖で船団護衛中、米潜水艦の雷撃で航行不能となる。「荒潮」に曳航されたが、21日に沈没した。第8駆逐隊最初の喪失艦であった。

## 満潮《ミチシホ》

### スリガオ海峡で迎えた壮絶な最期

3番艦「満潮」は「潮が満ちてくること」を艦名の由来として、1937年10月31日に竣工した。太平洋戦争開戦時の行動は第8駆逐隊の僚艦と同様だが、1942年2月20日のバリ島沖海戦で「満潮」は多数の命中弾を受けて航行不能となった。「荒潮」の曳航で引き揚げる際も空襲で損害が増大、大破の状態で帰投した。その後は輸送作戦に従事、1944年6月のマリアナ沖海戦時は第8駆逐隊最後の1隻として空母を護衛した。1944年10月のレイテ沖海戦では、生き残っていた同型艦と第4駆逐隊を編成、西村艦隊の一員としてスリガオ海峡に突入。しかし圧倒的優勢な敵の攻撃で沈没、全員が戦死した。

## 荒潮《アラシホ》

### 攻略作戦に水上戦闘、輸送と幅広い戦歴

4番艦「荒潮」は「激しい潮の流れ」が艦名の由来となり、1937年12月20日に竣工した。第8駆逐隊の一員として太平洋戦争開戦時より南方作戦に従事、緒戦の水上戦となるバリ島沖海戦で小破させた米駆逐艦「スチュワート」は日本海軍籍の「哨戒艇一〇二号」となった。ミッドウェー海戦では僚艦「親潮」と共に「最上」「三隈」救援に派遣され、米軍機の空襲で中破したが帰投した。修理後はソロモン方面に進出、輸送や攻略作戦に従事している。1943年2月はガダルカナル島撤収作戦とイサベル島沖海戦に参加。同年3月3日、輸送のためラエに向かう途上「ダンピールの悲劇」により沈没。

## 朝雲《アサグモ》

### 開戦と最期を西村提督が指揮

5番艦「朝雲」は「朝の雲」を艦名の由来として、1938年3月31日に竣工した。太平洋戦争開戦時は第9駆逐隊の一員として第4水雷戦隊に所属、フィリピンや蘭印作戦に貢献した。ソロモンの戦いでは時に損傷しながらも増援輸送に赴くこと6回、1943年3月3日の「ダンピールの悲劇」からも生還した。1944年10月のレイテ沖海戦では、「満潮」「山雲」と第9駆逐隊を編成、わずか7隻の西村艦隊の一翼としてスリガオ海峡に突入した。壊滅した西村艦隊において「朝雲」の生存者は比較的多く、いくぶんの慰めとなる。開戦時と最期の戦いは、いずれも西村祥治中将が指揮する縁であった。

## 山雲《ヤマグモ》

### 西村司令官の指揮下に死す

6番艦「山雲」は「山にかかっている雲」を艦名の由来として、1938年1月15日に竣工した。太平洋戦争は第9駆逐隊を編成した西村祥治少将指揮の第4水雷戦隊に所属、フィリピンや蘭印作戦で活動した。第9駆逐隊は「山雲」に「朝雲」「夏雲」「峯雲」と「雲」の名を持つ同型艦で編成されており、「潮」の名を含む艦を集めた第8駆逐隊と美しい対をなした。1943年9月に第4駆逐隊に編入、1944年6月にマリアナ沖海戦に参加した。10月のレイテ沖海戦は、「満潮」「朝雲」と共に再び西村司令官の指揮下で出撃、スリガオ海峡の夜戦で沈没した。全員が戦死と伝えられる。

## 峯雲《ミネグモ》

### 米艦隊と対決し暗夜に沈没

8番艦「峯雲」の艦名は「山の頂に立つ雲」を意味しており、1938年4月30日に竣工した。1941年6月23日、訓練を終えた「峯雲」が「夏潮」の右舷中央に衝突、続いて「黒潮」が「峯雲」の左舷後部に衝突する事故が発生。しかし修理は太平洋戦争の開戦に間に合い、第4水雷戦隊第9駆逐隊の一員としてフィリピン攻略に参戦した。これ以後は第9駆逐隊の僚艦同様にジャワ方面へ転戦する。1942年からはガダルカナル島の戦いに参加、増援輸送中の10月5日は爆撃により大破している。1943年3月5日、コロンバンガラ島に物資を輸送した帰路に米艦隊とビラ・スタンモーア夜戦が生起、撃沈された。

## 霞《カスミ》

### 最新にして最後に沈む朝潮型の最精鋭艦

9番艦「霞」は「靄（もや）のかかった状態」あるいは「朝焼け」を艦名の由来とする。1939年6月28日、朝潮型では最後の竣工となった。第18駆逐隊を編成、所属は第2水雷戦隊であったが、太平洋戦争開戦時は南雲機動部隊の直衛警戒隊に選抜され、ハワイ作戦に参加した。以後、1942年4月まで機動部隊と行動を共にしている。1942年7月5日、キスカ島付近で潜水艦の雷撃を受けて大破、修理に1年を要した。護衛や輸送作戦、レイテ沖開戦、礼号作戦など多くの作戦に参加したが、1945年4月7日「大和」と共に沖縄をめざす途上で沈没した。朝潮型最後の戦没艦となる、多くの戦歴を重ねた。

**艦これ はみだしコラム**

元艦長が「霞」の危急を救う／朝潮型駆逐艦「霞」は、戦中の海軍部内でも「雪風」や「時雨」と同様に讃えられた武勲艦だ。1945年4月7日の沖縄水上特攻作戦で空襲により右舷艦首に直撃弾を受けて損傷した際にも乗員たちの士気は未だ旺盛であったが、その様子を見た駆逐艦「冬月」が近寄り、メガホンで「その艦はもうダメだ。総員退艦せよ」と進言。じつはこの「冬月」艦長、少し前までの「霞」の艦長であり、乗員たちは素直にその言葉を聞いて接舷した「冬月」へ移乗し、大きな犠牲を出すことなく生還している。

# 霰《アラレ》
## 空母機動部隊の直衛に活躍

10番艦にして最終艦となる「霰」は、「水蒸気が氷の粒となって落ちてくるもの」を意味しており、気象用語では5mm未満が霰、5mm以上が雹（ひょう）とされる。1939年4月15日に竣工、僚艦「霞」および陽炎型の「陽炎」「不知火」と共に第18駆逐隊を編成、開戦時は南雲機動部隊に編入されハワイ作戦に出撃した。これ以後も1942年4月まで、ラバウル攻略やインド洋作戦など日本海軍の絶頂期を味わう。6月のミッドウェー海戦時は攻略部隊の護衛隊に属し、機動部隊の壊滅には居合わせなかった。同年7月5日、キスカ島に仮泊中に米潜水艦の雷撃で沈没。最初に喪失した朝潮型駆逐艦となった。

## 未登場の朝潮型駆逐艦

現在、朝潮型で未登場となっているのは7番艦「夏雲」のみ。速やかな実装を期待しながら、実艦についてしっかりと学んでおこう。

艦名の由来は「夏空に現れる曇」で、入道雲、夕立曇、雷曇などが該当する。竣工は1938年2月10日で、太平洋戦争開戦時は第9駆逐隊の一員として第4水雷戦隊に所属、フィリピンや蘭印など南方作戦に従事した。1942年2月はスラバヤ沖海戦に参加、3月のクリスマス島攻略戦で4水戦旗艦「那珂」が大破すると、「由良」と交代するまで「夏雲」が臨時旗艦を務めた。6月はミッドウェー作戦に参加するものの、攻略部隊には交戦の機会なしソロモンでは8月、第二次ソロモン海戦に参加した。ガダルカナル島への増援輸送も3回赴き、空襲を受けたこともあるが生還を果たしている。1942年10月12日、サボ島沖夜戦に参加後、空襲で航行不能となった「叢雲」の救援に向かう。しかし「夏雲」も空襲を受け、浸水が進んだため乗員が僚艦「朝雲」に移乗後、沈没した。

僚艦である「叢雲」を救おうとした献身や、後事を託した「朝雲」との関係が深いため登場が待たれるところだ。

## 日本海軍の機銃

日本海軍の艦載機銃は輸入または製造権を購入して国産化したものが大半で、大正期の三年式機砲に始まる。次は留式（ルイス式）7.7mm機銃、九二式7.7mm機銃続となり、留式は峯風型、神風型、吹雪型などに搭載された。

続いて毘式12.7mm機銃が綾波型と暁型に、毘式40mm機銃が初春型から白露型6番艦までに装備されたが、故障がちで制式採用はされていない。保式13mm機銃から制式化された九三式13mm機銃は、多くの駆逐艦が装備した。なお毘式とはイギリスのヴィッカース社、保式はフランスのホチキス社の製品であることを示す。

そして、もっともなじみ深い九六式25mm機銃は、製造権を購入して1935年ごろから生産を開始した。まず1937年に竣工の「朝潮」が装備、陽炎型、夕雲型、秋月型と後期に至るまで標準装備となる。13mmと25mm機銃は、状況に応じて単装、連装、3連装を装備していた。

**日本海軍駆逐艦 霞**
**1944年**

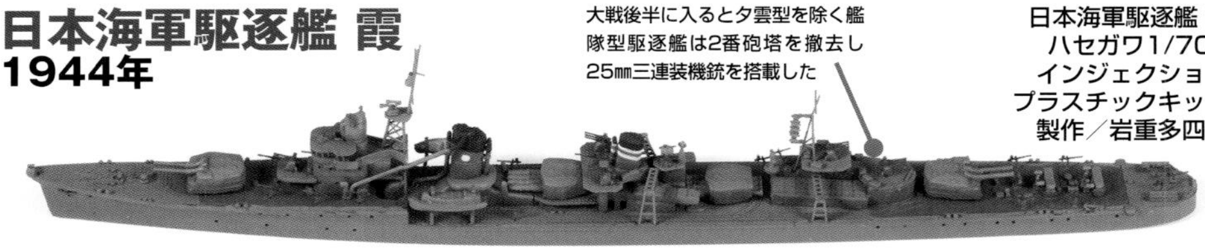

大戦後半に入ると夕雲型を除く艦隊型駆逐艦は2番砲塔を撤去し25㎜三連装機銃を搭載した

日本海軍駆逐艦 霞
ハセガワ1/700
インジェクション
プラスチックキット
製作／岩重多四郎

## 日本海軍の対潜兵器

第一次世界大戦でイギリスが開発した爆雷を製造権と共に購入した日本海軍は、これを制式化して使用した。爆雷はドラム缶型の八八式爆雷、九五式爆雷、二式爆雷と、爆弾型の三式爆雷が主なものとなる。このうち二式および三式爆雷は、太平洋戦争で多用されたものとなる。

爆雷を運用する投射機は、まず大正期に神風型、睦月型および初春型後期（「有明」「夕暮」）に片舷用の八一式爆雷投射機が装備された。九四式爆雷投射機はＹ字状の両舷用で、吹雪型以降、すべてが装填台と共に装備した。また爆雷投下軌道を使えば、ゴロゴロと手で投下できる。

しかし性能の低い水中聴音機、前方に投射できない制約などで、日本の対潜兵装は劣弱であった。

## 駆逐艦の艦名その2

日本駆逐艦の命名基準はすでに記したが、ここではその特色をいくつか紹介しよう。艦名を眺めていてオッとなるのが、クラスにおける規則性である。最も顕著なのが吹雪型、綾波型、暁型の特型とも称される24隻だ。3グループから書き出すと、

「吹雪」「白雪」「初雪」「深雪」の第11駆逐隊（吹雪型4隻）
「叢雲」「東雲」「薄雲」「白雲」の第12駆逐隊（吹雪型4隻）
「磯波」「浦波」「綾波」「敷波」の第19駆逐隊（吹雪型2隻と綾波型2隻）
「朝霧」「夕霧」「天霧」「狭霧」の第20駆逐隊（綾波型4隻）
「朧」「曙」「漣」「潮」の第7駆逐隊（綾波型4隻）
「暁」「響」「雷」「電」の第6駆逐隊（暁型4隻）

と、見事な規則性と、漢字ならではの美しい文字面が実感できるだろう。これはほかのクラスでも珍しくなく、例えば陽炎型でも「風」の文字が含まれる7～10番艦で同一駆逐隊を編成しており、こうした例はほかのクラスや海外艦艇でも見受けられるものの、さすがに特型ほどの様式美には及ばない。

一方で、同じ天象地象（駆逐艦の命名基準）を示す文字が複数のクラスに混在することもある。一例としてあげると「曇」は吹雪型や夕雲型のみならず朝潮型に「朝曇」「山曇」「夏曇」「峯曇」なども含まれるため（「曇」の名を持つ4隻で第9駆逐隊を編成した）、日の浅いファンは混乱必至であろう。しかし、その煩雑さも楽しいのだ。

さらに、いくつかの特筆すべきことを記していきたい。

明治期にイギリスに発注した初代「叢雲」は日本駆逐艦第一号に位置づけられると共に、最初に天象地象名から命名された。おもしろいことにこの時期、イギリスに発注された駆逐艦16隻はソニークロフト社の8隻が漢字2文字、ヤーロー社製8隻が漢字1文字とされている。ソ社が「叢雲」「東雲」「夕霧」「不知火」「陽炎」「薄雲」「白雲」「朝潮」、ヤ社が「雷」「電」「曙」「漣」「朧」「霓（にじ）」「暁」「霞」である。また、ほぼ同時期に朝日新聞は、新造駆逐艦4隻の艦名は「陽炎」「望月」「朧」「渚」と発表したが、海軍の正式令達では「望月」は「薄雲」、「渚」は「霓」となっていた。こうした例は、昭和期にもみられる。

建造中止のため、命名が予定されながら日の目を見なかった艦名も多い。一例では夕雲型で、「山霧」「海霧」「谷霧」「川霧」の「霧」、「山雨」「秋雨」「夏雨」「早雨」の「雨」、「霜風」「大風」「東風」「西風」「南風」「北風」「早風」「夏風」「冬風」「朝東風」「沖津風」の「風」、「高潮」「秋潮」「春潮」「若潮」の「潮」など実に多く、予定通り建造されていれば壮観だったであろう。

これに次ぐ幻の艦名は秋月型が多く、「清月」「大月」「葉月」「山月」「浦月」の「月」、「青曇」「紅曇」「春曇」「天曇」「冬雲」「雪雲」「八重曇」の「曇」、「初夏」「初秋」「早春」の「季節」となる。

さらに古く、八八艦隊計画において起工されなかった駆逐艦群には「清風（のち微風）」「軽風（のち涼風）」「大風」「真風」「旋風」「妙風」「清風」「里風」「村風」が予定されていた。

## 建造 朝潮型駆逐艦模型紹介

朝潮型駆逐艦はピットロードとハセガワ（ウォーターラインシリーズ）の2社から発売されている。ピットロードのキットは1996年に発売されたもの。発売当時は洋上モデルとして発売されていたが2006年に船底パーツが付属するフルハルキットとなった。ハセガワの朝潮型駆逐艦は2017年に発売されたばかりの最新キット。現在発売されている駆逐艦キットの中でもっとも新しいもののひとつで、過度に精密化せず、ほどほどの組み立てやすさと精密感を両立させている。大戦前期仕様の「朝潮」「荒潮」「峯雲」と天一号作戦参加時の「霞」がキット化されている。

**艦これ はみだしコラム**
第2水雷戦隊は生還を期していた？／沖縄水上特攻作戦から帰還した駆逐艦「霞」の砲術長、呉鎮守府における残務整理中、不意に「砲術長、預かった酒はどうされますか?」と関係者に質問された。出撃直前の不要物品陸揚げの際に「あとで飲むから取っておいて」と酒保物品を預けていったのでしょうが、という。「すっかり忘れてたけど、それじゃぁ、あのときは生きて帰って来るつもりだったんだなぁ」と感慨深げに古老が語っていたのを思い出すが、同様な話は他の駆逐艦でも聞かれるので、歴戦の水雷屋たちはどこかで生還する自信を持っていたのかもしれない。

# 陽炎型駆逐艦

## 初春型以来の試行錯誤に終止符 ようやく完成した本格的駆逐艦

**初春型、白露型の不満を解消したはずの朝潮型も日本海軍を完全に満足されることはできなかった。軍縮条約に縛られずに建造された陽炎型は、当初の構想こそ満たせなかったものの完成度は高く、連合艦隊の中核を成す存在となった。戦没艦も多いが、奮闘のあかしでもあるのだ**

文／松田孝宏

**日本海軍駆逐艦 陽炎**
**1941年**

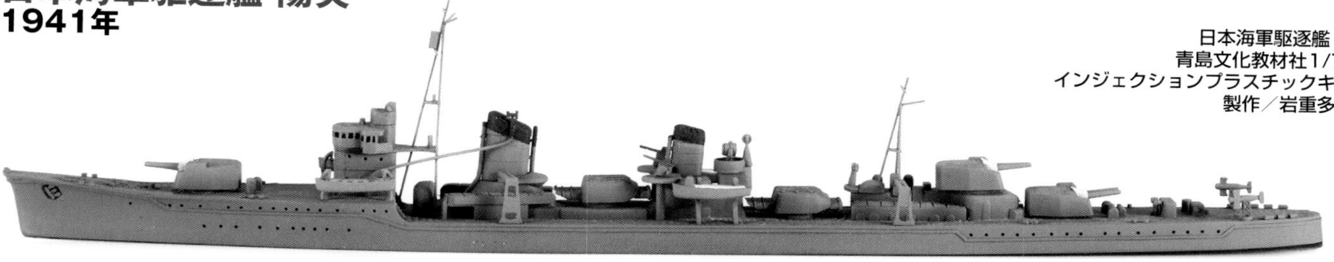

日本海軍駆逐艦 陽炎
青島文化教材社1/700
インジェクションプラスチックキット
製作／岩重多四郎

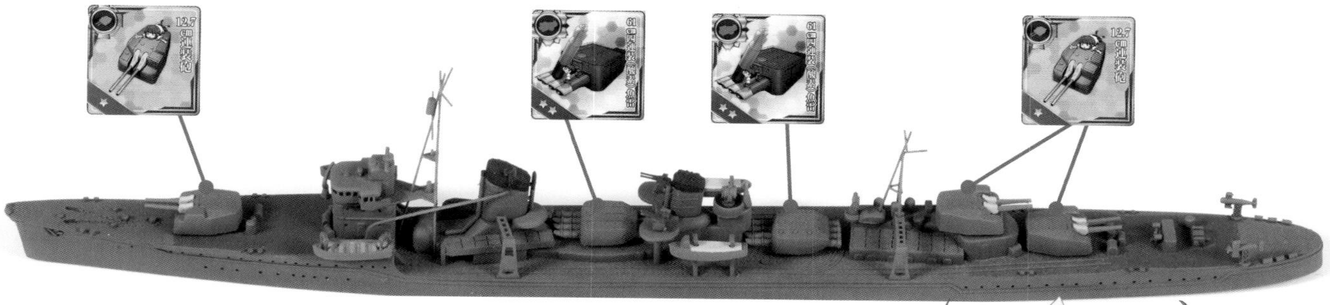

初春型や白露型の欠点を踏まえて建造された朝潮型は、速力や航続力などの点で日本海軍を満足させることはできなかった。そのため、1937年の第三次艦艇補充計画は軍縮条約を脱退したあとということもあり、軍令部は特型に匹敵する船体に同じ程度の兵装、最高速力36ノット以上、18ノットで5000浬以上の航続力を持つ駆逐艦を要求した。

しかしこれを満たすには排水量2700トン以上、全長120m以上の船体が必要と艦政本部は試算した。そのため、速力は35ノットに妥協して計画は決定、第三次補充計画で18隻ぶんの予算が成立した。このうち3隻は大和型戦艦の建造費用を秘匿するためのダミーであり、この時は15隻を建造した。残る4隻は、1939年の第四次艦艇補充計画で補填したのであった。

陽炎型は、当初から友鶴事件や第4艦隊事件の教訓も取り入れて1939年より就役を開始、1941年夏に全艦が完成した。条約に縛られず建造しただけに極めてバランスのよい性能は、各国にも衝撃を与えたと伝えられる。

ただし竣工時は対空兵装が貧弱で、空母直衛に就いた艦も緒戦は満足な対空射撃ができなかった。このため3回にわたって増強工事がなされ、大戦末期の残存艦は25mm3連装4基、連装1基、単装10基以上に増えていった。だが射撃指揮装置などは従来のままで、増備がそのまま射撃能力の向上につながったわけではなかった。

開戦時は最新鋭の駆逐隊としてハワイや南方など主要作戦にすべてが投入され、緒戦を支えた。ガダルカナル島をめぐるソロモンの戦いでも奮闘したが、予期しなかった消耗戦と輸送任務などでしだいに損耗。終戦時に残存したのは、世界でも屈指の幸運艦「雪風」のみであった。

## 陽炎《カゲロフ》

### 空母部隊の直衛から ソロモンの戦いへ

1番艦「陽炎」は、「地上から立ち昇る水蒸気によって光が屈折し、物体がゆらめいて見える」現象を艦名の由来とする。竣工は1939年11月6日で、第18駆逐隊として太平洋戦争劈頭のハワイ作戦から、1942年4月のインド洋作戦まで、南雲機動部隊と共に行動した。1942年11月30日のルンガ沖夜戦では、僚艦と協同して米重巡部隊に大打撃を与えている。1943年5月8日、クラ湾で触雷して航行不能となり、米軍機の攻撃で沈没した。

## 不知火《シラヌヒ》

### 開戦時の機動部隊を 護って戦う

2番艦「不知火」の艦名は、「夜間の海上で、漁火が異常屈折によって明滅する現象」に由来し、九州の八代海や有明海のものが有名である。1939年12月20日に竣工、第18駆逐隊の一員として機動部隊を直衛してハワイ作戦から1942年のインド用作戦まで同行した。1942年7月5日、米潜水艦の雷撃で大破し、修理に約1年4カ月を要している。復帰後は北方部隊で活動した。レイテ沖海戦後、「鬼怒」の救援に向かったが、米軍機の攻撃で沈没した。

## 黒潮《クロシホ》

### 輸送に撤収の 裏方任務で貢献

3番艦「黒潮」は「日本列島の南岸を南西から北東に流れる暖流」を由来に、1940年1月27日に竣工した。第15駆逐隊を編成、太平洋戦争では第2水雷戦隊に属してフィリピン、蘭印攻略作戦に従事した。1942年8月からソロモンに転じ、戦闘よりも輸送やガダルカナル島撤収によく貢献した。1943年5月8日、コロンバンガラ島へ輸送を終えた帰途、クラ湾で触雷して沈没した。この日は同行の「陽炎」「親潮」も沈む、陽炎型にとって災厄の日となった。

## 親潮《オヤシホ》

### 「潮」の名を持つ 15駆の一角をなす

4番艦「親潮」は「日本列島の東岸を北から南に流れる寒流」を由来としている。1940年8月20日に竣工、僚艦「黒潮」「早潮」「夏潮」ら「潮」の文字を持つ姉妹艦4隻で第15駆逐隊を編成した。南方作戦とミッドウェー作戦を経てソロモンに転じてからは、ルンガ沖夜戦で戦功を挙げた。その後もソロモンで輸送作戦などに就いていたが、1943年4月10日にトラックと進出。コロンバンガラ島へ輸送を行なった5月8日、クラ湾で触雷後、空襲で沈んだ。

## 初風《ハツカゼ》

### 空母を護って 戦い続ける

7番艦「初風」は「季節の初めに吹く風」が艦名の由来で、1940年2月15日に竣工した。僚艦「雪風」「天津風」「時津風」らと第16駆逐隊を編成、開戦時は第2水雷戦隊でも最精鋭を誇った。フィリピンや蘭印の攻略戦などを経て、1942年7月、機動部隊の直衛部隊である第10戦隊（水雷戦隊）に転属、第二次ソロモン海戦や南太平洋海戦で空母を護った。1943年11月1日、ブーゲンビル島沖海戦に参加したが「妙高」と衝突、米艦の砲撃で沈んだ。

## 雪風《ユキカゼ》

### 最高の武勲艦 雪風は沈まず

8番艦にして世界でも随一の武勲艦たる「雪風」は、「雪まじりの風」を艦名の由来に1940年1月20日に竣工した。開戦を第16駆逐隊の一員としてフィリピン攻略で迎えて以来、大小20回近くの作戦に従事、そのほとんどに目立った損傷もなく生還した。終戦時も無傷で残存し、戦後は賠償艦として中華民国へ引き渡され、「丹陽」の名で長く運用された。1971年に解体、返還された舵輪と錨が現在も江田島の旧海軍兵学校に展示されている。

## 天津風《アマツカゼ》

### 試験的に超高性能の 機関を搭載

9番艦「天津風」は「大空を吹く風の美称」を艦名の由来に、1940年10月26日に竣工した。「島風」が搭載した高温高圧ボイラーを試験的に搭載したことでもよく知られる。第16駆逐隊を編成、開戦時の第2水雷戦隊から第10戦隊にわたる活動は僚艦と同様。ソロモンやトラックなどで活動後、船団護衛中の1945年4月6日に空襲で沈没した。奇しくも、僚艦「雪風」「磯風」「浜風」が水上特攻隊として「大和」に付きそい、沖縄に出撃した日であった。

## 時津風《トキツカゼ》

### 陸軍の名将軍を 送り届けた最期

10番艦「時津風」は「季節に順応して吹く風」という意味を持ち、1940年12月15日に竣工した。艦名に「風」が含まれる陽炎型の僚艦と第16駆逐隊を編成、太平洋戦争は開戦の南方作戦からミッドウェー作戦、ソロモンの各種開戦と連戦した。1943年3月3日、陸軍屈指の名将軍で知られる安達二十三中将ら陸軍兵を運ぶ途上、「ダンピール」の悲劇と称される空襲で沈没。「時津風」に乗っていた安達将軍は、「雪風」に移乗して難を逃れた。

## 浦風《ウラカゼ》

### 第17駆逐隊旗艦 レイテの帰路に沈没

11番艦「浦風」の艦名は「海辺に吹く風」の意味を持ち、1940年12月15日に竣工した。姉妹艦4隻で第17駆逐隊を編成、太平洋戦争では第1航空艦隊に編入されハワイ作戦に参加した。その後もミッドウェー海戦まで機動部隊と行動、大戦後期はマリアナ沖海戦、レイテ沖海戦などの大作戦に参加。1944年11月21日、レイテ沖海戦を終え内地へ向かう艦隊は潜水艦の雷撃で「金剛」が沈没、第17駆逐隊旗艦の「浦風」もまた沈んだ。

## 磯風《イソカゼ》

### 精強第17駆逐隊 大戦末期まで戦う

12番艦「磯風」は「磯に吹く風」を艦名の由来に、1940年5月30日に竣工した。第17駆逐隊を編成する艦は「磯風」のほか「浦風」「浜風」「谷風」と「風」が艦名に含まれており、いずれも1944年前半まで欠けることなく行動を続けた。「磯風」の戦歴も非常に豊富だが、サマール沖の米空母追撃戦が最も華やかな一瞬であった。最期は沖縄に向かう途上、被爆した「矢矧」を救援しようと接近を試みて被害を受け、「雪風」に処分された。

# 浜風《ハマカゼ》

## 陽炎型屈指の精鋭 武勲輝く歴戦艦

13番艦「浜風」は「浜に吹く風」を艦名の由来に、1941年6月30日に竣工した。当時では最精強の第17駆逐隊を編成、開戦時のハワイ作戦に始まりラバウル攻略、インド洋作戦、ミッドウェー作戦、ソロモンの戦い、マリアナ沖海戦、レイテ沖海戦、「信濃」の護衛などなど、主要な作戦のほとんどに参加した歴戦の武勲艦と言える。最期は「大和」の沖縄突入作戦に「磯風」「雪風」と参加、対空戦闘開始後に惜しくも最初に撃沈されてしまった。

# 谷風《タニカゼ》

## ミッドウェーの神技 30余機を相手取る

14番艦「谷風」は「谷から吹き上がる風」に由来、1941年4月25日に竣工した。最新の第17駆逐隊を編成、太平洋戦争はハワイ作戦で迎えた。「谷風」の突出した秘話はミッドウェー海戦にある。同海戦で主力4空母が壊滅した際、なお沈まない「飛龍」の救助に「谷風」が現場に派遣された際、30機以上の米軍機に襲われたものの直撃を許さず巧みに回避、見事に危機を脱した。1944年6月9日、米潜水艦の雷撃で17駆最初の戦没艦となった。

# 野分《ノワキ》

## 「筑摩」乗員と沈んだ レイテ沖海戦

15番艦「野分」は「秋の台風を意味する古語」に由来している。1941年4月28日に竣工、僚艦と第4駆逐隊を編成して第4水雷戦隊に所属、開戦時はマレー、フィリピン攻略など各種南方作戦の支援にあたった。1942年6月のミッドウェー海戦では、被弾した旗艦「赤城」を僚艦と共に魚雷で処分した。1944年10月のレイテ沖海戦では損傷した「筑摩」の乗員を収容したが、25日夜に米艦隊の攻撃を受け、「野分」「筑摩」の乗員ともども沈んだ。

# 嵐《アラシ》

## 第4駆逐隊の 旗艦を務める

16番艦「嵐」は、「暴風雨」を艦名の由来に1941年1月27日に竣工、当初から「山風」とする郵便物の誤配が続出したという。竣工時は第4水雷戦隊配下の第4駆逐隊として、南方作戦を支援。ミッドウェー海戦では僚艦らと共に、傷ついた「赤城」を処分した。この時、「嵐」座乗の第4駆逐隊司令・有賀幸作大佐は、最後の戦艦「大和」艦長となる。コロンバンガラ島への増援輸送に赴く1943年8月6日、ベラ湾夜戦により撃沈された。

# 萩風《ハギカゼ》

## 緒戦の栄光と 中期の苦闘を経験

17番艦「萩風」は「萩に吹く風」が由来。「萩」は秋の七草のひとつを指す。1941年3月31日に竣工、「野分」「嵐」「舞風」らと第4駆逐隊を編成した。南方作戦やインド洋作戦、ミッドウェー作戦後、1942年8月18日は陸軍の一木支隊をガダルカナル島に揚陸。同支隊はガ島で最初に壊滅する運命にあった。以後は護衛や輸送任務に就き、最後となる作戦行動もコロンバンガラ島への輸送であった。しかしクラ湾夜戦で沈没した。

# 舞風《マヒカゼ》

## ミッドウェーでは 空母に献身

18番艦「舞風」は、「つむじ風」を艦名の由来に1941年7月15日に竣工した。第4駆逐隊を編成、太平洋戦争開戦から南方作戦やインド洋作戦と転戦した。1942年6月のミッドウェー海戦は被爆した「加賀」の護衛や乗員の救助、「赤城」の処分などを行なった。ソロモン戦線では輸送に海戦に活躍したが、1943年2月の第二次ガ島撤収作戦では至近弾で大破、「雪風」の曳航で帰投した。1944年2月17日のトラック大空襲で再び損傷、米艦隊の砲撃で沈没。

# 秋雲《アキグモ》

## 陽炎型に定着久しい かつての夕雲型

19番艦「秋雲」は文字通り「秋の雲」を由来としている。かつては「最初に竣工した夕雲型駆逐艦」とされていたが、1994年に研究家によって陽炎型との根拠が示され、今では陽炎型として定着した感が強い。開戦時のハワイ作戦では第5航空戦隊唯一の警戒駆逐艦として参加、1942年4月は夕雲型3隻と第10駆逐隊を編成した。南太平洋海戦では、炎上する米空母「ホーネット」を「巻雲」と雷撃して沈めた。1944年3月1日、米潜水艦の雷撃で沈没。

## 未登場の陽炎型駆逐艦

現在、陽炎型コンプリートに「早潮」「夏潮」の実装が待たれている。

5番艦「早潮」は「流れの早い潮」を意味しており、1940年8月31日に竣工した。第2水雷戦隊配下の第15駆逐隊に属し、太平洋戦争はフィリピン攻略で迎える。蘭印、インド洋、ミッドウェー、ソロモンと緒戦の主要作戦の多くに参加した。19421年11月24日、ラエに増援輸送に赴く途上、米軍機の爆撃を受けて沈没した。

6番艦「夏潮」は「夏の潮」「夏の海」などが由来となっており、「早潮」と同じく1940年8月31日に竣工した。「早潮」同様に第15駆逐隊に属し、フィリピンや蘭印の攻略に参加。1942年1月のケンダリー攻略では、第一根拠地隊の指揮下で参加している。マカッサル作戦では攻略部隊の船団を護衛していたが、2月8日夜半、マカッサル沖で米潜水艦の雷撃により沈没した。陽炎型で最初の沈没艦であり、1942年に沈没した最初の駆逐艦であった。

## 建造 陽炎型駆逐艦模型紹介

日本海軍の駆逐艦でもっとも人気があるのは陽炎型の「雪風」だと断言していいだろう。2019年12月の段階で陽炎型駆逐艦のインジェクションキットは4タイプ存在している。もっとも古いキットはピットロードのもので1994年開発。発売当初は洋上モデルとして発売されていたが2007年に船底パーツが付属するフルハルモデルキットとなった。青島文化教材社のキットは2004年開発。現在の水準からするとシンプルな構成だがシルエットは優秀でディテールアップする際のベースとしても使える。フジミからは特シリーズと艦NEXTシリーズのふたつのブランドから発売されている。特シリーズは2010年発売のもので過剰なほどのディテール再現が特徴。艦NEXTシリーズは2016年発売で組み立てやすさに重点を置いたものだが、精密感も損なわれていない。なおフジミのキットは特シリーズ、艦NEXTシリーズいずれも2隻セットで発売されている。ピットロードからは完全新金型の陽炎型の開発がアナウンスされている。発表されているテストショットを見ると従来のキット以上に精密感が増しており、一石を投じる内容となりそうだ。

# 夕雲型駆逐艦

## 主力オブ主力として到達するも戦う戦場と護る艦はなし

**陽炎型の性能は満足のゆくものとなったが、小改正を加えた準同型艦、夕雲型はさらなる性能向上がなされて竣工した。惜しむらくは、大戦中期以降に竣工の艦は早々に戦線へ送られて消耗したため、練度を熟成させて戦えなかった点にある**

文／松田孝宏

**日本海軍駆逐艦 風雲**
**1942年**

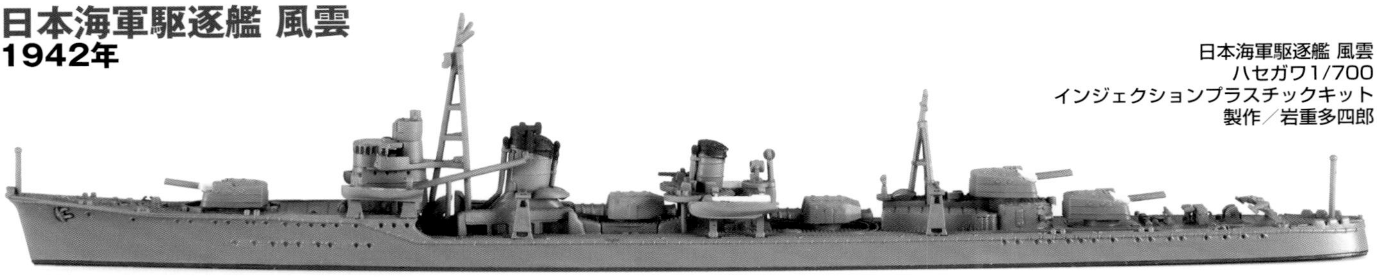

日本海軍駆逐艦 風雲
ハセガワ1/700
インジェクションプラスチックキット
製作／岩重多四郎

艦隊型駆逐艦の
最終進化形であり決定版
夕雲型に夜戦は任せて♪

夕雲型駆逐艦は、陽炎型が計画速力の35ノットに達しなかったことを受け小規模な設計変更がなされたクラスである。陽炎型から艦尾を約50cm延長、スクリュープロペラも改良して所定の速力を得た。また主砲は対空射撃の可能なD型と呼ばれる砲塔となり、高角測距儀を装備した。艦橋構造物も少し大型化した。

陽炎型との相違点はこの程度であるため、予算的には陽炎型と夕雲型は同じ甲型駆逐艦として扱われていた。

夕雲型は1939年の第四次海軍軍備充実計画で11隻が建造された。さらにこれに続く1941年の戦時艦船急速建造計画で16隻、1942年の第五次計画改訂で8隻が計画されたものの戦局の悪化により戦時艦船急速建造計画分の8隻のみが完成、先の第四次計画と併せて19隻の建造に終わった。本型は最後となった「清霜」が竣工したのが1944年5月であり、後期艦が就役するころはネームシップの「夕雲」が沈んでいる有様であった。就役から3カ月程度で沈んだ艦もあり、大戦後期の激戦ぶりを象徴した駆逐艦という印象が強い。

大戦中はほかのクラス同様に対空火器の増強がなされたが、後期に建造された8隻は竣工時から艦橋前に25mm連装機銃を備え、前部マストに二二号電探を有していた。一部の艦は、陽炎型と同様に2番砲塔を撤去し25mm3連装機銃を2基装備したという説が唱えられていた時期もあったが、現在では戦時中の写真からもこれはほぼ否定され、2番砲塔は撤去されなかったということが定説となっている。

こうした改装もあまり対空戦闘に奏功できなかったようで、遅れてきた最優秀艦は太平洋での激戦を経て全艦がその姿を消した。

## 夕雲《ユフグモ》

### 短い生涯で示した多くの活躍

1番艦「夕雲」は「夕方に立つ雲」を艦名の由来に1941年12月5日、開戦前に竣工した最後の駆逐艦となった。以後はしばらく対潜哨戒に従事しており、本格的な実戦は1942年6月のミッドウェー作戦で、第10駆逐隊に所属して空母「飛龍」の護衛にあたったが、傷ついた同艦を処分する悲運に泣いた。その後も第二次ソロモン海戦、南太平洋海戦、ガダルカナル島やキスカ島の撤収など、太平洋戦記でも主要な海戦にも参加。しかし、1943年10月6日の第二次ベララ・ベラ海戦で米駆逐艦の雷撃を受けて沈没した。竣工から満2年に達さない生涯ながら、活躍を重ねた駆逐艦と言える。

## 巻雲《マキグモ》

### 「夕雲」の介錯で迎えた最期

2番艦「巻雲」は「刷毛でこすったような形の白い雲」を艦名の由来とする。1942年3月14日、太平洋戦争開戦後に最初に竣工した駆逐艦となった。初陣は同年6月のミッドウェー作戦で、第10駆逐隊の一員として出撃、「蒼龍」の乗員救助や「飛龍」の雷撃処分などにあたった。ソロモンに転戦後、南太平洋海戦では傷ついた「ホーネット」を「秋雲」と共に雷撃で葬った。1942年11月29日、ニューギニアのブナで爆撃により損傷、修理後は1943年2月のガダルカナル島撤収作戦に参加。同月1日、米軍の機雷に触雷して航行不能となり、乗員が「夕雲」に移乗後、雷撃で処分された。

## 風雲《カザグモ》

### 二度の撤収作戦に参加した仲間思い

3番艦「風雲」は「風が吹き始める前兆として現れる曇」を由来として1942年3月28日に竣工した。同年6月のミッドウェー作戦には、第10駆逐隊の旗艦として阿部司令を乗せて出撃した。戦闘は大敗北となり、「風曇」は僚艦「夕雲」と共に、護衛に努めてきた空母「飛龍」を魚雷で処分する辛い役目を果たした。ソロモン戦線に転戦後は1942年8月の第二次ソロモン海戦、10月の南太平洋海戦などに参加。1943年2月はガダルカナル島撤収作戦、さらに7月には「奇跡の作戦」と称されたキスカ島撤収にも参加、多くの陸軍将兵を連れ帰った。しかし1944年6月8日、米潜水艦に撃沈された。

## 長波《ナガナミ》

### ルンガ沖夜戦旗艦の栄光

4番艦「長波」の由来は「波長が水深に比べて長い波」を意味し、「浅海波」とも呼ぶ。波と水深の関係を示す言葉である。1942年6月30日に竣工、間もなく同型艦「巻波」と第31駆逐隊を編成し、ソロモン戦線に投入された。南太平洋海戦やガダルカナル島増援輸送に参加後、1942年11月30日は田中頼三第2水雷戦隊司令官の旗艦としてルンガ沖夜戦で米重巡を痛撃した。1943年7月のキスカ撤収では「初霜」「若葉」「長波」の駆逐艦3隻が衝突したが、作戦は成功した。1944年10月のレイテ沖海戦では「高雄」護衛のため途中で戦場を離脱した。11月11日、オルモック湾への輸送で空襲を受けて沈没。

## 高波《タカナミ》

### 光芒に栄光を刻み最初に沈んだ夕雲型

6番艦「高波」は「高い波」を艦名の由来に、1942年8月31日に竣工した。第31駆逐隊の一員として、ソロモン戦線でガダルカナル島へ増援輸送、南太平洋海戦、第三次ソロモン海戦などに参加した。「高波」の名を高めたルンガ沖夜戦は、1942年11月30日に生起した。ガダルカナル島への物資揚陸を準備していた第2水雷戦隊の駆逐艦8隻は、暗夜にも関わらず「高波」見張員が9600m遠方に敵艦隊を発見。ただちに戦闘が開始され、先頭の「高波」は集中砲火を浴びて唯一沈没した。「高波」の犠牲が海戦の勝利につながったことは間違いない。竣工から沈没まで91日という短命艦であった。

## 藤波《フジナミ》

### 味方艦艇の救援に向かった最期

11番艦「藤波」の艦名の由来は「藤の花房が、波のように揺れるさまを波に例えた」もので、厳密には天象地象名から命名したものではない。1943年7月31日に竣工、第32駆逐隊に編入された。内地で訓練後、1943年10月にトラックへ進出、輸送や船団護衛を行った。1944年6月はマリアナ沖海戦に参加、その後はマニラに向かう船団を護衛。同年のレイテ沖海戦は第2水雷戦隊に属して出撃、サマール沖で米護衛空母部隊と戦う。被爆した「鳥海」の乗員を収容して帰投中、僚艦「早霜」が航行不能との報を受けて救援に赴くが、米軍機の攻撃で沈没した。1944年10月27日のことであった。

## 早波《ハヤナミ》

### 船団護衛に活躍も決戦に参加ならず

12番艦「早波」の艦名は「激しく打ち寄せる波」を由来として、1943年7月31日に竣工した。同じ日、10番艦「涼波」と11番艦「藤波」が竣工しており、共に第32駆逐隊を編成した。内地で2カ月の訓練を行ったのち、1943年10月15日、第32駆逐隊は「山城」を護衛してトラックに進出。11月はさらにラバウルに進み、1944年1月からパラオ、サイパン、ボルネオ方面への船団護衛を行なった。来るべきマリアナ沖海戦に備え、1944年4月にリンガ泊地、5月にタウイタウイ泊地へ進出。しかし海戦直前の6月7日、セベレス海で米潜水艦の雷撃を沈没した。乗員は全員戦死とされた。

## 浜波《ハマナミ》

### 短い生涯で護衛と輸送に貢献

13番艦「浜波」は「浜に寄せる波」を艦名の由来として、1943年10月15日に竣工した。訓練部隊の第11水雷戦隊で訓練後、12月に第32駆逐隊に編入。それから間もない同月25日、呉から船団を護衛してトラックへ進出後、トラック～パラオ間の護衛に従事した。1944年はリンガ泊地、タウイタウイを経て6月のマリアナ沖海戦に参加。海戦後、陸軍部隊を輸送して再びリンガ泊地へ進出。10月はレイテ沖海戦に参加、生涯のハイライトとなるサマール沖海戦で戦う。1944年11月11日、第三次レイテ輸送中に米軍機の空襲で沈没。2018年1月、ポール・アレン氏の調査チームが残骸の発見を報じた。

**艦これ はみだしコラム**

舷外消磁電路は数少ない個性なんだけど……／駆逐艦の多くは建造された工廠や造船所ごと、各部に工事や仕様の違いがあって、それが個艦を見分ける要素のひとつともなる。なかでも舷外消磁電路は違いが現れるところで、戦時中に公試写真の撮影された夕雲型や秋月型ではその様子がよくわかる。ところが、戦前に竣工した陽炎型以前の駆逐艦では公試中に写真が撮影された時点でまだこの敷設工事を行なっておらず、幸運にして戦時中に撮影された写真が残されている一部の艦を除けばディテールがわからないというのが実状だ。

## 沖波《オキナミ》

### 鈴谷の最期を看取り間もなく沈没

14番艦「沖波」は「沖に立つ波」を由来に、1943年12月10日に竣工した。2カ月の内地訓練を経て第31駆逐隊に編入、1944年2月24日に船団を護衛して呉からサイパン島へ向かった。以後はトラック島、サイパン島方面で船団護衛を行なう。1944年10月のレイテ沖海戦は第2水雷戦隊に属して参加、本艦と「沖波」「岸波」「朝霜」の夕雲型新鋭艦で編成された第31駆逐隊は、サマール沖の戦いに奮闘した。「沖波」はこの海戦で損傷した「鈴谷」を、乗員の収容後に処分して単艦でコロン湾に帰投した。しかし11月13日、米軍機の空襲により在泊していたマニラ湾で沈没した。

## 岸波《キシナミ》

### 臨時ながらも栗田艦隊旗艦となる

15番艦「岸波」は「岸辺に打ち寄せる波」を由来として1943年12月3日に竣工した。1944年2月に第31駆逐隊に編入され、以後は「沖波」と行動を共にする。6月はマリアナ沖海戦に参加。10月のレイテ沖海戦において、栗田艦隊の旗艦「愛宕」がパラワン水道で沈没すると、栗田司令長官以下の首脳部を収容。将旗を「大和」に移すまで臨時ながら艦隊旗艦となった。レイテ沖海戦後、「妙高」を護衛してシンガポールに入り、11月はマニラに向かう。再びシンガポールへ向かう途中の1944年12月4日、米潜水艦の雷撃によりミンドロ島西方で沈没した。奇しくも沈没の前日が、竣工から満1年であった。

## 朝霜《アサシモ》

### 「大和」の死出に同行ならず

16番艦「朝霜」は「朝に降りている霜」を艦名の由来とする。1943年11月27日に竣工した。訓練後に第31駆逐隊に編入、1944年6月のマリアナ沖海戦、10月のレイテ沖海戦に参加して生還した。ただしレイテ沖海戦では、戦闘初期に「長波」と共に大破した「高雄」を護衛して戦場を離脱したため、本格的な参戦ではなかった。11月は最後の勝ち戦となる礼号作戦に参加。1945年4月、「大和」を旗艦とする第2艦隊の水上特攻が決定すると、第2艦隊第21駆逐隊に所属の「朝霜」も出撃した。しかし4月7日、機関の故障により艦隊から落伍し、米軍機の空襲で沈没した。

## 早霜《ハヤシモ》

### 戦闘で駆け抜けた短き艦歴

17番艦「早霜」は「秋の朝に早く降りる霜」を艦名の由来に、1944年2月20日に竣工した。4カ月後のマリアナ沖海戦では、機動部隊の護衛として対空戦闘を行う。10月のレイテ沖海戦は「秋霜」と第2駆逐隊を編成、第2水雷戦隊を編成して栗田艦隊の一員として出撃。25日はサマール沖海戦で奮戦するものの、その後の爆撃で損傷する。「秋霜」に付き添われて一度は離脱するが、応急修理後に再度、艦隊との合流をめざした。しかし26日、米軍機の空襲で沈没した。大戦中期から後期に続々と竣工した夕雲型を象徴するかのように、わずか8カ月の生涯で沈んだが、多くの戦闘に参加した。

## 清霜《キヨシモ》

### 最期まで「武蔵」に連れ添った献身

最終艦にして19番艦「清霜」は「清らかな霜」を由来に1944年5月15日に竣工した。訓練部隊の第11水雷戦隊で訓練や輸送作戦に従事し、8月に第2駆逐隊を僚艦「早霜」「秋霜」らと編成した。10月のレイテ沖海戦は第10戦隊（水雷戦隊）に所属して参加した。シブヤン海で大空襲を受けた「武蔵」が損傷、護衛したのが「清霜」であった。「武蔵」の傍らで対空戦闘を行なう「清霜」も命中弾で傷ついたが、駆けつけてきた「利根」「島風」と共に「武蔵」と戦った。最期を看取り、乗員を救助したのは「清霜」と「浜風」であった。11月26日、礼号作戦にて米艦艇と米軍機の攻撃で沈没。

## 未登場の夕雲型駆逐艦

2019年11月現在、「巻波」「大波」「清波」「玉波」「涼波」「秋霜」が未登場となる。

5番艦「巻波」は「砕ける波」の一種が艦名の由来で、巻いて砕ける波を指す。僚艦「長波」と新編成の第31駆逐隊に属し、ガダルカナル島輸送を開始した。1943年11月25日のセントジョージ沖海戦で、米艦艇の攻撃を受け沈没した。

7番艦「大波」は説明不要の「大きな波」が由来で、1942年12月29日に竣工した。第31駆逐隊を編成してソロモンに進出、ガダルカナル島撤収や船団護衛、輸送などを行った。しかし1943年11月25日、セントジョージ沖海戦で沈没。

8番艦「清波」は「清らかな波」が由来で、1943年1月25日に竣工した。第31駆逐隊の一員としてトラックへ進出。7月13日のコロンバンガラ島沖夜戦が生涯で最大規模の戦闘となる。7月20日、輸送中にニューギニア島ベラ湾で空襲を受け沈没。

9番艦「玉波」の由来は「波の美称」となり、1943年4月30日に竣工した。1943年7月にトラックへ進出、後は内地と内南洋間で護衛任務に就く。1944年6月のマリアナ沖海戦に参加後、マニラに向かう7月7日に米潜水艦の雷撃で沈没した。

10番艦「涼波」は「澄んで清い波」と介錯される言葉が由来で、1943年7月31日に竣工した。同年10月にトラックへ進出、陸軍部隊を輸送する。11月からラバウルに入るが、11日の空襲によって沈没。わずか4カ月と10日の生涯であった。

18番艦「秋霜」は「秋に降りる霜」が由来で、1944年3月11日に竣工。初陣は1944年6月、第2水雷戦隊第2駆逐隊としてマリアナ沖海戦に出撃した。レイテ沖海戦後はマニラに移り、11月13日にマニラ湾空襲で沈没した（「秋霜」は本書編集作業中の 2019年12月により実装された）

## 建造　夕雲型駆逐艦模型紹介

夕雲型駆逐艦も3社から発売されている。ピットロードのキットは1995年発売のもの。陽炎型と同じく当初は洋上モデルとして発売されていたが2007年に船底パーツが追加されフルハルキットとなった。フジミのキットは2018年に発売された艦NEXTシリーズ。船体は陽炎型と共用で艦橋などの上部構造物を新金型パーツとしたもの。ほかのフジミの駆逐艦キットと同じく2隻セットとなっている。ハセガワのキットは2017年にリニューアルされた艦船ファン待望のキット。現在前期竣工艦の「夕雲」、中期竣工艦の「早波」、後期竣工艦の「秋霜」「朝霜」などが発売されている。

## 駆逐艦の主砲

日本駆逐艦の主砲は大正期から睦月型までは三年式12cm単装砲を装備した。吹雪型からは三年式12.7cm連装砲（A型砲）を装備し、これは日本駆逐艦初の連装砲であり、砲全体を覆うシールドも採用した。続く綾波型と暁型は対空射撃も可能な、三年式のB型砲各種を積んだ。C型砲は「有明」「夕暮」から陽炎型、D型砲は夕雲型と「島風」の搭載で、波浪に対して形状や能力が変化を続けた。九八式10cm連装高角砲、八九式12.7cm高角砲はそれぞれ秋月型と、松および橘型が搭載、高角砲が主砲となった珍しい例である。

# 秋月型駆逐艦

## 唸る長10cm高角砲！
## 防空は秋月型が引き受けた

**当初、「直衛艦」という新たな艦種として計画された秋月型は、紆余曲折の末に魚雷発射管も持つ駆逐艦となった。コンセプトは徹底しなかったものの長砲身の高角砲は威力絶大で、大戦後期に個艦での活躍も多い。結果論となるが、開戦時から大量生産されるべきクラスであった**

文／松田孝宏

**日本海軍駆逐艦 秋月**
**1942年**

日本海軍駆逐艦 秋月
フジミ1/700
インジェクションプラスチックキット
製作／岩重多四郎

自慢の長10cm砲と高射装置で
敵機を寄せ付けません！
艦隊防空は秋月型にお任せください！

秋月型駆逐艦は、吹雪型から初春型そして白露型～朝潮型～陽炎型～夕雲型へと続く日本海軍の駆逐艦の系譜に連なっていない。これは1938年時の計画において、空母機動部隊の直衛を主任務とした新型艦が前身となるためだ。当時は航空戦隊に峯風型などの旧式駆逐艦が配備されていたが、いかにも性能不足であったためだ。

このため、当初は2000トンの船体に新開発の10cm高角砲を8門、機銃を4基程度装備し、速力35ノット、18ノットで1万浬の航続力が想定された。しかし、諸々の検討の末、2700トンの船体に速力33ノット、航続力は18ノットで8000浬、さらに次発装填装置付きの4連装魚雷発射管1基という、当初の構想からややブレた大型駆逐艦に決定。1939年の第四次海軍軍備補充計画で6隻、1941年の戦時計画で10隻、1942年の第五次計画改で23隻の、計39隻が計画された。

これにより1942年6月の「秋月」から就役を開始したが、実際に完成したのは当初の6隻と1941年計画のうち6隻、計12隻であった。

このうち、8番艦「冬月」からは工事の短縮を期して艦首の水線下を直線としたほかいくつかの変更点が見られ（改秋月型または冬月型とも呼ばれる）、起工したものの建造中止となった「満月」はさらに簡略化がなされていた（満月型とも呼ばれる）。このように3タイプが存在したため、細かな点を含めると各艦の相違はかなり煩雑となっている。

大戦中の増備は目まぐるしく、初期の就役艦は1943年までに機銃や電探を増備、大戦末期の艦は電探装備で竣工した。また、生き残っていた艦はさらに機銃が追加された。終戦時に生き残った艦は、竣工が遅く出撃すべき戦場もなかったゆえであった。

## 秋月《アキヅキ》

### 防空艦の真価と諸説ある最期

1番艦「秋月」は「秋の夜の月」を艦名の由来として、1942年6月13日に竣工した。その翌日から「瑞鶴」の直衛を行なうなど、慌ただしくも防空駆逐艦らしい。8月、ソロモン方面へ転戦、初めての戦闘でB-17を一度に2機撃墜したと古賀彌元艦長は証言しているが、戦後の調査では不可能とされており、連合艦隊の宇垣参謀長も「2機と交戦、1機を撃墜」と記録している。10月に南太平洋海戦、1944年6月のマリアナ沖海戦は第61駆逐隊として空母を護衛。10月のレイテ沖海戦は囮任務の小澤機動部隊の一員として出撃。25日に沈没するが、潜水艦か空襲か、原因は諸説分かれている。

## 照月《テルヅキ》

### ソロモンに奮闘した短命の2番艦

2番艦「照月」は「照り輝く月」とされる言葉が艦名の由来で、1942年8月31日に竣工した。「秋月」と第61駆逐隊を新編、10月は南太平洋海戦に参加、「翔鶴」の護衛に就きわずかながら損傷する。11月の第三次ソロモン海戦では傷ついた「比叡」を護衛、乗員を収容して戦場を離れた。海戦2日目は米艦艇を攻撃、かつ沈没した「霧島」の乗員を救助した。海戦後、10日程度だが第10戦隊旗艦となった。12月11日、ガダルカナル島増援輸送に第2水雷戦隊旗艦として出動、揚陸作業中に魚雷艇群の襲撃を受ける。航行不能となった「照月」は、12日未明に沈没。わずか100余日の生涯を終えた。

## 涼月《スズツキ》

### 幾度もの大損害にも沈まなかった強運艦

3番艦「涼月」は「涼しく感じさせる月の光」が由来と思われるが、この時は「りょうげつ」と読む。提督なら必見の名作映画『連合艦隊』では「りょうづげ（き？）と聞こえる。1942年12月29日に竣工、1、2番艦と第61駆逐隊を編成した。1943年3月から物資輸送や護衛任務を開始するが、1944年1月16日、輸送中に潜水艦の雷撃で大損害を受けたものの、沈没は免れて修理を受ける。しかし同年10月16日にまたも潜水艦の雷撃で損傷した。1945年4月の「大和」最後の出撃にも同行、損傷しながら後進で帰投した。戦後は福岡県若松港の防波堤となり、埋め立てられ姿の見えない現在も日本を護っている。

## 初月《ハツヅキ》

### 1対16、2時間の死闘で僚艦を救う

4番艦「初月」は「新月」、狭義では陰暦8月初めの月を意味する言葉を由来に、1942年12月29日に竣工した。第61駆逐隊に編入後、ソロモン方面で護衛任務に就き、1944年2月はリンガ泊地で訓練を開始。6月のマリアナ沖海戦は「大鳳」「瑞鶴」を護衛した。10月のレイテ沖海戦は囮任務の小澤機動部隊に本艦と「秋月」「若月」で編成された第61駆逐隊の旗艦として参加した。25日夜、16隻から成る米艦隊と遭遇。この時、「初月」は「若月」「五十鈴」から離れ単艦で立ち向かい、約2時間にわたり交戦を続けたのち沈没した。「初月」の犠牲により、小澤機動部隊残存艦の多くが生還した。

## 未登場の秋月型駆逐艦

現在、未登場は「新月」「若月」「霜月」「冬月」「春月」「宵月」「夏月」「花月」の8隻だ。

5番艦「新月」は「新しい月」つまり「朔と呼ばれる時期を過ぎたあと、西の空に見える細い月」を意味する。1943年3月31日に竣工したが、間もなく同年7月6日に生起したクラ湾夜戦で沈没した。

6番艦「若月」は「若い月」が由来で、1943年5月31日に竣工。マリアナ沖、レイテ沖海戦を生き延びたが、1944年11月9日のオルモック輸送作戦時に空襲で沈没した。

7番艦「霜月」は「陰暦11月の異称」が由来だ。こちらもレイテ沖とマリアナから生還後、オルモック輸送の1944年11月25日に米潜水艦に撃沈された。

8番艦「冬月」は「冬の夜の月」が由来で、1944年5月25日に竣工した。「大和」水上特攻に際して、ロケット弾を受けながら不発のため生還した強運で知られる。戦後は福岡県若松港の防波堤となった。

9番艦「春月」は「春の夜の月」から、1944年12月28日竣工。第1護衛艦隊で行動、終戦後はソ連に引き渡し。

10番艦「宵月」は「宵に出ている月」となり、1945年1月31日に竣工。内地で何度か対空戦闘を行い、本土決戦に備えているうちに終戦。中華民国へ引き渡された。

11番艦「夏月」は「夏の季節」が由来とされており、1945年4月8日に秋月型として最後に竣工した。終戦まで戦闘に参加することなく、戦後は復員輸送を経てイギリスに引き渡されるが、浦賀船渠に売却された。

13番艦「花月」は「陰暦3月」が由来とされ、1944年12月26日に竣工した。1945年3月、対潜部隊の第31戦隊旗艦となり、「大和」や僚艦「涼月」「冬月」の沖縄出撃時は前路掃討を行なっている。戦後はアメリカに引き渡され、調査ののち沈められた。

その他、「満月」として予定されていた12番艦は起工後に工事中止。「清月」「大月」「葉月」を艦名に予定した3隻は建造準備中の1944年12月14日、揃って建造中止となった。同年中には改秋月型と呼ばれた派生型も起工することなく全艦が建造を中止した。

未登場の人気艦も多い秋月型、多くの実装が望まれる。

## 建造 秋月型駆逐艦模型紹介

艦隊防空用に建造された秋月型駆逐艦は大きくわけて4つのキットが存在する。もっとも古いキットは1995年に開発された青島文化教材社のキット。開発から25年近く経過しており現在の水準からすればかなりシンプルな構成だが大きな欠点は見当たらない。「秋月」「照月」「涼月」「初月」「冬月」「宵月」といったバリエーションも豊富。「秋月」「照月」は初期型の三脚タイプのマストを備えたキット、「涼月」は1945年時の状態を再現したものだが艦橋は通常の丸型のものとなっている（限定版のエッチングパーツ付きキットには角型断面の艦橋が付属していた）。「初月」「冬月」「宵月」は大戦後期に電探などを追加しマストの形状が変更されたタイプとなっている。ピットロードのキットは2006年に発売された。ディテールは青島文化教材社に比べて格段に増え精密感がある。バリエーションも多く発売されており戦争前期から後期艦までカバーしている。フジミのキットは特シリーズと艦NEXTシリーズの2本立て。いずれも2隻セットだ。特シリーズの「秋月」は2010年に発売された。新造時の三脚マストの状態を再現したもので「秋月」「照月」がセット。ピットロードのキットよりもさらに精密なものとなっているが組み立て難易度は高い。一方艦NEXTシリーズのキットは2019年発売で「秋月」と「初月」の2隻セット。電探を増備するためマストの形状が変更された状態（捷一号作戦参加時）を再現したものとなる。複雑な構成のマストも組み立てやすく配慮されておりお入門用キットとしても最適。なおフジミ艦NEXTシリーズでは船体形状の異なる大戦後期型の秋月型の発売も予定されているようだ。

**艦これ はみだしコラム**
結局、秋月型はよくわからない／日本海軍の艦艇のディテールを知るにはなんといっても写真に頼る他はない。これは例え図面が残っていたとしても実際にその通りに工作されているのか確証がないからだ。写真がなければ図面や同型艦の様子から推測することになるが、問題となるのが秋月型（冬月型とは別）だ。本タイプの各艦は戦時建造のためわからない部分ばかり。「残存した『涼月』を参考にしたら?」とも思えるが、同艦は艦首と艦尾を失う大損傷から復活を遂げているので、その特徴が秋月型オリジナルなのか、「涼月」だけの特徴なのかがわからない。秋月型はまだ謎に包まれたままなのである。

# 駆逐艦 島風

## 日本海軍最高速力を誇った韋駄天 速きこと「島風」のごとし

**試験的に超高速駆逐艦として建造された「島風」は、機関の製造が難しいこともあり同型艦は建造されなかった。高速と強力な雷装が十全に発揮されたとは言い難いが、飛行機が主役という想定外の戦況を「島風」は疾風怒濤で走り抜け、沈んでいった**

文／松田孝宏

### 日本海軍駆逐艦 島風 1944年

日本海軍駆逐艦 島風
タミヤ1/700
インジェクションプラスチックキット
製作／岩重多四郎

1939年の第四次海軍軍備補充計画による駆逐艦は陽炎型と夕雲型および大和型建造予算のダミーとなった。残る1隻は、甲型駆逐艦（陽炎型、夕雲型）の後継となる艦のプロトタイプとなった。

軍令部は甲型駆逐艦の35ノットよりも大幅に優速な40ノット、航続距離は18ノットで6000浬、備砲は従来どおりだが雷装は7連装発射管2基を要求した。これは当時、アメリカのフレッチャー級やベンソン級駆逐艦の速力が公称37ノットとされており、なんとしてもこれに対抗する必要があったのだ。

こうして計画、建造されたのが「島風」である。「天津風」でもテスト搭載した新型ボイラーを搭載したものの、1942年の第五次計画では16隻の整備が予定されながら、機関が量産に向かないため、単艦建造となってしまった。

1943年5月に竣工した「島風」は高速はもちろん雷装が5連装発射管3基と計画よりも強化されており、艦隊決戦の時代に16隻が完成していたら敵国にとって一大脅威になったとことは間違いない。

しかし、日本海軍の思い描いた戦いにならなかった太平洋戦争では、まず竣工時から備えた電探を見込まれてキスカ撤収作戦に参加。マリアナ沖海戦前には13mm連装機銃１基、25mm連装2基を25mm3連装5基に換装、レイテ沖海戦当時は25mmと推測される単装機銃も追加していたと考えられる。

機銃の増備よりも高速と回避運動の妙味で「島風」は健在であり続けたと思われるが、1944年11月11日の第三次オルモック輸送作戦で空襲を受けて沈没した。もし、4隻程度の同型艦で駆逐隊を編成していたら、戦場の一部では決して被弾しない1駆逐隊が主導権を握り続けた世界があったかもしれない。

# 島風《シマカゼ》

## 直撃を許さない気高き最期

16隻の量産計画が流れ同型艦を持たなかった「島風」は、「島を吹き渡る風」を由来に1943年5月10日に竣工した。当初より電探を装備しており、このため就役直後、7月のキスカ撤収作戦に投入された。以後は護衛任務が主となり、1944年6年はマリアナ沖海戦。10月はレイテ沖海戦に参加した。11月11日、マニラからレイテへ輸送作戦中、空襲によりオルモック湾で沈没。しかし直撃弾は一発も許さず、高速回避の連続で修理が追いつかない様相を呈したためである。1965年、呉の旧海軍墓地に戦後最初となる「島風」戦没者の慰霊碑が建立され、これを機縁に多くの所属艦が続いた。

## 駆逐艦の機関と速力

神風型駆逐艦の登場時、日本駆逐艦の推進機関はオール・ギヤード・タービン（歯車式減速装置を付けた蒸気タービン）となっていた。ボイラーで発生させた蒸気はタービンに送られ、タービン翼が回転して動力となる。蒸気は高温、高圧にしてエネルギーに変換するのが望ましく、そのために過熱器も搭載して、複数のタービンによってエネルギーとするのである。

日本海軍のボイラーは明治時代に艦政本部式ボイラーが開発され、ロ号艦本式は太平洋戦争の日本軍艦がほとんど搭載した。タービンは艦本式タービンが開発され、吹雪型以降に装備された。性能や構成にもよるが、吹雪型は低圧タービンと単式タービンの組み合わせで5万馬力、「島風」は高圧、第1高圧、第1中圧、第2中圧、低圧のタービン構成で7万5000馬力を得ていた。また秋月型と「島風」は機械室を前後に分け、松および橘型はボイラーとタービンを互い違い（シフト配置）として抗堪性を高めていた。

## 日本海軍の電波兵器

電波兵器（電測兵装と称した）の立ち後れは、日本の敗因のひとつとされる。日本海軍は電波兵器に早期から関心を持って研究を進めてきたが、技術力の低さによる実用化の遅れや、「闇夜に提灯」理論（電波を放つことは、闇夜で提灯を持つように目立つ行為となるので電探は無用、とする）に代表される無理解もあって、実戦導入は大戦中期からとなった。

電波兵器は2種類に大別されるが、まず代表的なものが電波探信儀（レーダー）である。

日本駆逐艦に搭載された電探は3種類で、1942年に戦艦「伊勢」で実験した二号一型電波探信儀こと二一号電探は対空用電探として採用された。金網状の空中線を旋回装置で回転させるもので、駆逐艦用としては大型のため主に秋月型などの大型艦に搭載された。同じく対空用は一号三型電波探信儀こと一三号電探が開発された。これは軽量にして性能も安定しており、多くの駆逐艦がマストに串型の一三号電探を装備している。

対水上用は二号二型電波探信儀こと二二号電探となり、1942年に「日向」で実験したものだ。結果は不採用だったものの艦長の強い意見で撤去することなくミッドウェーに参加、濃霧での航行に役だって有効性を実証した。ラッパを組み合わせたような特徴的な形状で、多くの駆逐艦で一三号と二二号電探という組み合わせが見られる。

なお「米軍のレーダー射撃に敗れた」という記述は太平洋戦記の後半にしばしば認められるようになるが、日本もサマール沖海戦で「大和」が二二号電探による電測射撃を行ない、森下艦長は戦後「初弾が命中」と回想する。「金剛」も同海戦で電測射撃を行なった結果、電測による「有効な砲戦は可能」として「敵の電探恐るるに足らず、近日中に我が方が精度面でも優位にならん」と戦闘詳報に記した。しかし、その機会なく海戦直後に沈んだことはまことに残念であった。

おしなべて電探は搭載開始当初、精度や動作に不安が残っており用兵側からは不評もあった。しかし調査や改良を繰り返し、大戦後期は安定した性能を発揮している。

もうひとつの電波兵器が、逆探または電波探知機と呼ばれるものだ。空中線は「θ（ギリシア文字のシータ）」に似ており（ラケット型といわれた）、敵の放つレーダー波を探知することで、自艦がレーダーに捕捉されているか否かを判断する。日本駆逐艦は、E27と称するθ字型を搭載した。

その他、無線電話器のアンテナとなる九〇式無線電話空中線、自艦の位置を知る方位測定用空中線も電波兵器と言えるだろう。

## 日本海軍の魚雷発射管

魚雷発射管の歴史は明治にさかのぼるが、神風型（と峯風型）が使用した発射管となる六年式連装発射管は大正時に開発された、日本海軍初の53cm発射管でもあった。旋回は人力によるものだが、荒天時は困難であった。より小型の十年式連装発射管を、神風型が装備している。

続く一二年式3連装発射管は睦月型と吹雪型が装備した、61cm魚雷を3射線で放つための発射管である。当初はむき出しだったが順次、波除けのシールドが追加され、暁型は新造時からシールド付きとなった。搭載魚雷も当初は八年式だが、九〇式、九三式と強力なものに更新されていった。

九〇式3連装発射管二型は初春型が、当初は3基も装備したもの。駆逐艦の発射管として初めて次発装填装置を備え、波除けシールドで覆われていた。

そして九二式4連装発射管一型より、4連装発射管が登場。波除けシールドと次発装填装置も完備され、白露型、朝潮型、陽炎型、夕雲型、秋月型、松型、橘型とほとんどが装備した（松型、橘型は次発装填装置なし）。シールドは朝潮型までが角張っていいるが、陽炎型以降がやや丸みを帯びた形状となるため、模型製作でも注意ポイントとなる。

そして、「島風」のみが装備したのが零式5連装発射管である。当初は7連装が希望されたものの、機力が使用不可能の際には人力で旋回できないとして5連装に落ち着いた。予備魚雷と次発装填装置は搭載していない。

これら魚雷発射管で雷撃を行なう際、目標を照準して発射までのデータを発射管に伝えるのが魚雷戦指揮装置である。射角方位盤と発射指揮盤のセットで運用されるのが常で、大戦中の駆逐艦は九一式または九二式方位盤と、九二式発射指揮盤式を、艦橋両舷の張り出し部に装備していた。

## 建造 駆逐艦島風模型紹介

「島風」は日本海軍の駆逐艦の中で唯一同型艦がないためキット開発が難しく、長らくタミヤが1972年に発売したものしか存在しなかった。そんな中、2015年にピットロードから新キットが、2017年にタミヤからリニューアルキットが相次いで発売された。ピットロードのキットは同社の駆逐艦キットの中でも最後に発売されたもので精密感あふれる内容となっている。ピットロード版は新造時と最終時の2タイプが存在するためどちらを作りたいか決めてから購入しよう。一方のタミヤの「島風」はとりわけ作りやすさに重点を置いたキットで初心者にとくにおすすめしたいキットだ。モールドもシャープで精密感もある内容だ。

## 松、橘型駆逐艦

ガダルカナル島の戦いを主因とする戦時中の駆逐艦損耗を憂慮した軍令部と艦政本部は、1942年11月より消耗戦に備える戦時量産駆逐艦の検討を開始した。翌年2月は原案が決定、丁型と称されたが1番艦の艦名により松型と呼ばれる。

量産性を高めるために電気溶接やブロック建造方式を採用、缶（タービン）と機関（ボイラー）を交互に置くシフト配置を採用し、機関が一度に全壊するリスクを回避した。速力は27.8ノット、魚雷発射管も4連装1基だが、主砲となる高角砲が3門、25mm3連装機銃を4基に単装が8基以上と上陸支援、護衛、輸送などあらゆる用途に使用できた。結果論としては、松型と秋月型こそ太平洋戦争で優先されるべき駆逐艦であった。

松型は1番艦「松」が1944年4月28日に竣工してから、多数が配備された。艦名の由来はかつては二等駆逐艦の命名基準である草木からで、「雑木林クラス」というややもすれば蔑称も存在する。また、松型をよりシンプルに角張った船体に変更したのが改丁型または橘型である。

松型は当初計画の26隻のうち、18隻、すなわち、「松」「竹」「梅」「桃」「桑」「桐」「杉」「槇」「樅」「樫」「榧」「楢」「桜」「柳」「椿」「樺」「檜」「楓」「欅」である。残る6隻と追加ぶんの6隻が橘型、すなわち「柿」「樺」「橘」「蔦」「萩」「菫」「楠木」「初櫻」「楡」「梨」「椎」「榎」「雄竹」「初梅」である。このほか橘型9隻が建造中止となった。

# 外国駆逐艦編

このページからは「艦これ」に登場する海外の駆逐艦について紹介しよう。一目でわかるのはその色彩の違い。日本海軍は暗いグレーの船体にリノリウム色の甲板という色味に乏しいものばかりだが、海外の駆逐艦は明るいグレーや緑色、青色、白と赤の縞模様などさまざまな色をまとっており、カラフルでにぎやかだ

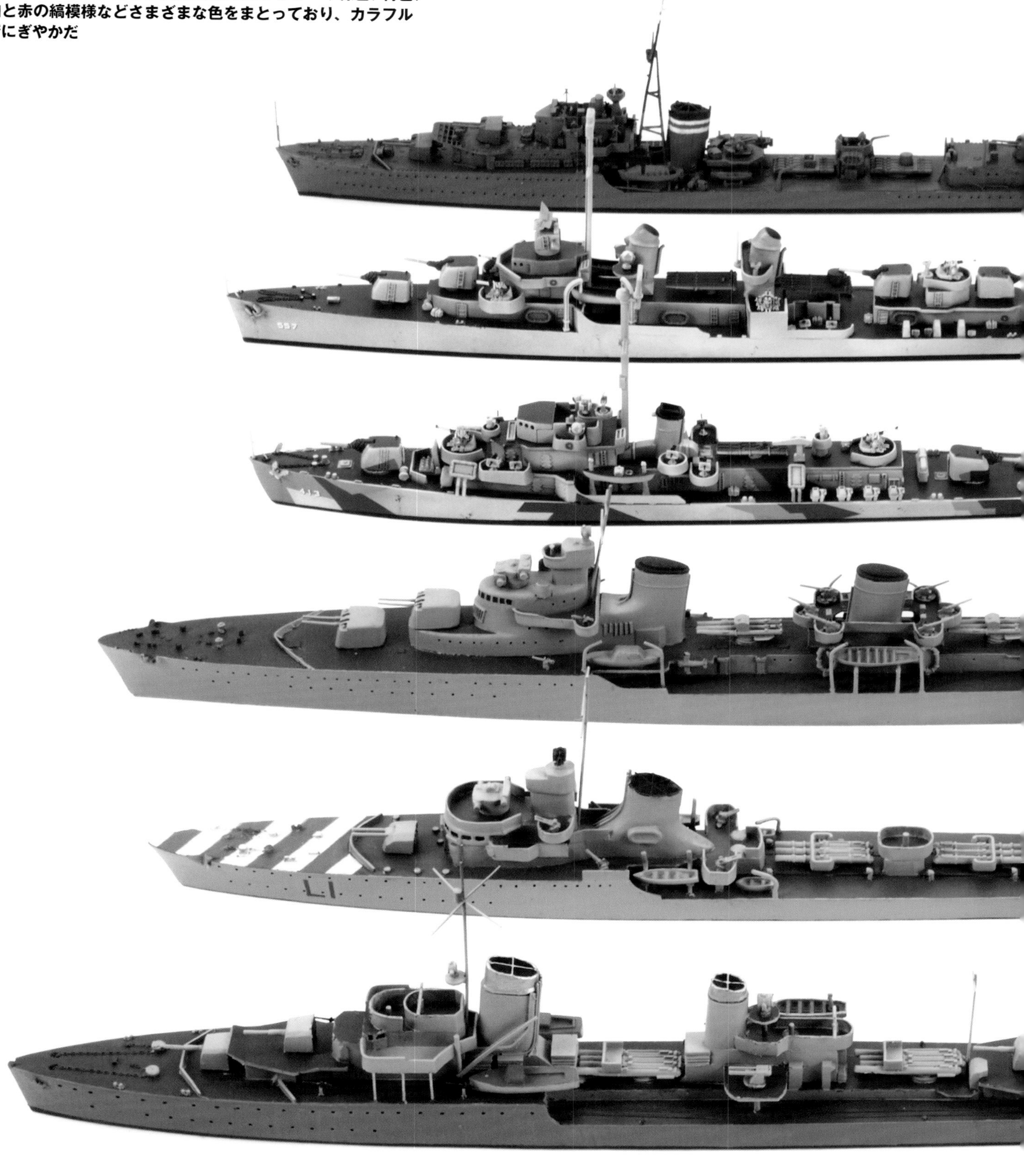

## 海外駆逐艦編

# Z1級駆逐艦

## ヴェルサイユ条約破棄後に設計された新世代駆逐艦第一弾は破格の大型艦

**新生ドイツ海軍は数に勝る英仏海軍に対抗するためか大型駆逐艦の建造を推進した。「Z1」から始まる1934型駆逐艦はこの第一弾となる。公称2206トン、常備排水量3000トンを超える大型艦であり新型ボイラーなどを備えるなどカタログスペックは優秀だったが実用性に難があり4隻の建造に終わった**

文／岩重多四郎

### ドイツ海軍駆逐艦 Z1 レーベレヒト・マース

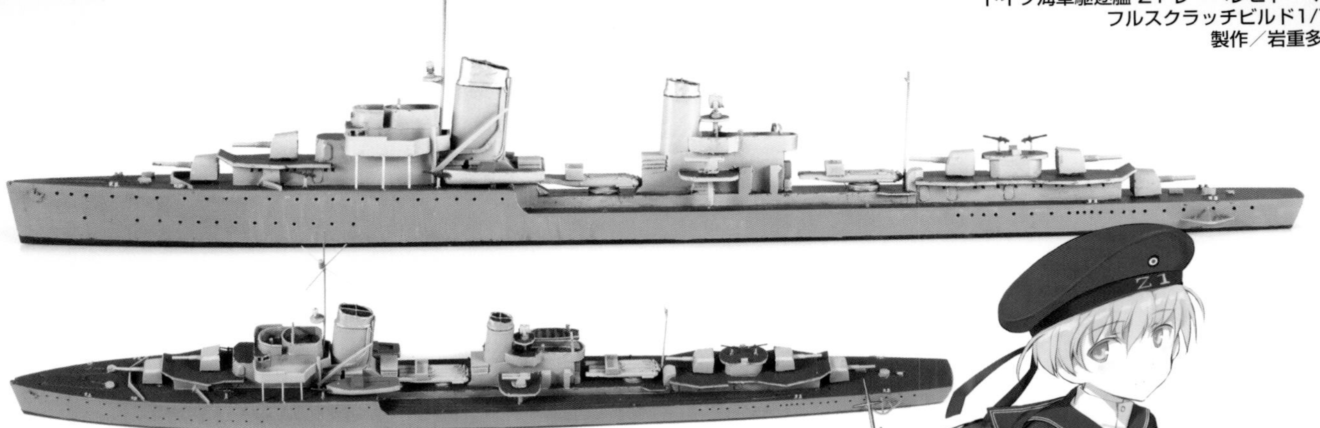

ドイツ海軍駆逐艦 Z1 レーベレヒト・マース
フルスクラッチビルド1/700
製作／岩重多四郎

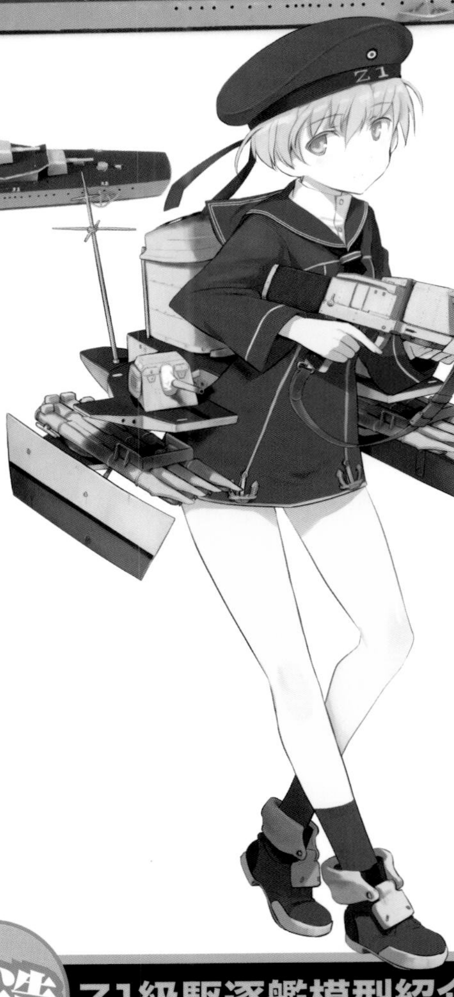


ドイツ海軍は第一次大戦後長らく、ヴェルサイユ条約に基づく厳しい軍備制限を受けており、1930年代中期までに建造された水雷艦艇は公称排水量800トンのメーヴェ、ヴォルフ級12隻だけだった。しかし将来に備えた研究は欠かしておらず、1935年3月の再軍備宣言に先立つ前年10月、最初の新世代駆逐艦である1934型「Z1」が起工。37年に姉妹艦4隻が完成した。当面の仮想敵となるべきフランス海軍を強く意識し、当初は同国のブーラスク級駆逐艦に相当するものを考えていたが、間もなく武装を強化し、ゲパール級大型駆逐艦との中間に位置する戦力の艦となった。基本的にはメーヴェ級をそのまま拡大したような外形をしており、12.7cm砲5門、53cm魚雷発射管8門に対し排水量は2200トンもある。このクラスで際立っているのは機関部で、蒸気性状が圧力72kg/cm・摂氏450度と、日本の「島風」（40kg・400度）を大きく上回っていた。計画出力は7万馬力、速力38ノットを狙っていたが、試運転でこれに達したものはなかったようで、就役後はトラブルが多く整備が難しかった。また、竣工時に直線的で重厚なデザインであった艦首形状は、のちに曲線状のシアーラインで先端を高める改修を実施している。このように、額面性能の割に大きな艦を作り、技術的興味の優先と外洋艦隊としての経験不足から実用性に何らかの不安を抱える傾向は、第二次大戦のドイツ水上艦艇には大なり小なり見られる特徴でもある。駆逐艦は小改正版の1934年A型12隻 と36型6隻 に 続 き、15cm砲搭載の1936A型15隻、12.7cm砲に戻した1936B型5隻が建造された。「Z1」から「Z22」までは別名として、第一次大戦中に軍功をあげた将兵の名前が与えられている。

### Z3 マックス・シュルツ

4隻建造された1934型駆逐艦の3番艦。本級は大型艦ではあるが基本的にはバルト海や北海で運用する目的で設計されており航続距離は日本海軍の駆逐艦の半分程度しかない。「Z3」は1940年2月22日のヴィーキンガー作戦に「Z1」など駆逐艦6隻で参加したが味方機の誤爆と機雷により2艦揃って沈没している。

### Z1級駆逐艦模型紹介

Z級の「Z」とはドイツ語で駆逐艦を意味する「Zerstörer」の頭文字から取られたもので潜水艦をUボートと呼ぶケースと同じである。ドイツの再軍備後はさまざまな駆逐艦が建造されており、キット化もされているがいずれも後期型の駆逐艦で、初期のZ1級（1934型駆逐艦）のキットは存在しない。比較的近い艦型のものとしてトランペッターから「Z7 ヘルマン・シェーマン」が発売されているのでそこから改造するかフルスクラッチビルドで製作するしかないだろう。

# マエストラーレ級駆逐艦

## 地中海用に設計された<br>派手な迷彩をまとうイタリアの韋駄天

**行動範囲は地中海に限定されるため小型艦が中心のイタリア駆逐艦だったが、武装と排水量の釣り合いが取れておらず復原性不足に悩まされた。それらを改良するべく一回り大きな船体としたのがマエストラーレ級駆逐艦である。本艦はそれなりに成功した艦型と認められ、イタリア駆逐艦の原型となった**

文／岩重多四郎

### イタリア海軍駆逐艦 リベッチオ

イタリア海軍駆逐艦 リベッチオ
フルスクラッチビルド1/700
製作／岩重多四郎

イタリアは昔から水雷艦艇の建造に熱心だった国のひとつで、両次大戦にかけて、小はMASと呼ばれる小型魚雷艇から大は2000トン以上の偵察艦に至るまで多様な艦を揃えていた。地理的特質上、日米英のように陸地から離れた外洋での行動は考慮せず、比較的近海で用いるため、同じカテゴリーの艦ではそれらより小型になる傾向があった。1920年代の代表的駆逐艦トゥルビーネ級は、峯風型とほぼ同じ武装で排水量1070トン、主砲を連装2基、魚雷発射管を三連装2基として全長を10m短くまとめていた。しかし、新しく登場した条約型重巡や大型軽巡に随伴するには相応の航洋性と航続距離が必要で、これに射撃指揮装置などの近代化を加えたフレッチア、フォルゴーレ級は復原性の問題を生じて失敗。計画速力38ノットも機関の信頼性不足やバラスト搭載の改修で実質30ノット程度まで低下した。この反省を踏まえ、次のマエストラーレ級は排水量を1600トン級まで拡大、無理のない設計で実用性との折り合いをつけ、イタリア海軍はようやく信頼できる艦隊型駆逐艦を手にしたのだった。姉妹艦4隻とも1934年竣工。艦名は地中海の北西風（マエストラーレ）、北東風（グレカーレ）、南西風（リベッチオ）、南東風（シロッコ）から。以後、オリアーニ級4隻とソルダティ級17隻まで船体同一で、主砲を追加するという珍しい改修も施している。

### マエストラーレ

1番艦「マエストラーレ」。本級4隻は風の名前にちなんだものが使われている。「マエストラーレ」は北西の風を意味する。本艦はイギリスの敷設した機雷に触れ損傷、その修理中に終戦を迎えて港で自沈した。

### グレカーレ

マエストラーレ級の2番艦。「グレカーレ」は北東の風。イギリス海軍との戦いに苦戦したマエストラーレ級は次々と戦没していったが「グレカーレ」のみは大戦を生き延び戦後も使用された。

### 建造 マエストラーレ級駆逐艦模型紹介

ドイツ海軍ではZ1ないしZ3そのものズバリのキットが発売されていないと嘆いたがイタリア海軍の駆逐艦はそもそもインジェクションプラスチックキットでは存在しない。レジンキャストキットで発売されていた艦も存在するが基本的に流通量が少なくまず見かけることはない。今後もインジェクションプラスチックキットとしての発売は望み薄だ。

# 駆逐艦 タシュケント

## 夕張並の大型船体に11万馬力の機関を搭載したイタリア生まれの超高速艦

**革命後の混乱の中、艦船の自力建造に苦戦したソ連海軍はイタリアに嚮導用の大型駆逐艦の建造を依頼した。そうして完成したのが「タシュケント」であり軽巡並の大型船体に規格外の大出力機関を搭載、日本海軍の「島風」を遥かに上回る44ノットという高速を誇った**

文／岩重多四郎

### ソ連海軍駆逐艦 タシュケント

ソ連海軍駆逐艦 タシュケント
コンブリック1/700
レジンキャストキット
製作／岩重多四郎

ソヴィエト連邦では海軍に限った話ではないが、国家樹立直後の大粛清で有能な人材が減り、内戦で壊滅した艦隊の再建も一筋縄ではいかなかった。ソ連海軍の駆逐艦は第一次大戦前に出現した「ノヴィク」の系列があり、排水量1300〜1400トン級と当時としては大型有力だったが、機関は直結式タービンで、革命前に起工されたものを1920年代後半に竣工させるなど技術的な遅れが目立っていた。第一次5か年計画で建造されたプロイェクト1ことレニングラード級大型駆逐艦6隻は、起工から完成までに4〜6年もかかり、船体強度が不足で実用性に問題のある艦だった。海外からの技術導入も難しい状況だったが、幸い輸出市場に積極的なイタリアから協力を取り付け、大型駆逐艦1隻を同国で建造、あわせて技術者をソ連に派遣して3隻を国産する契約を結んだ。プロイェクト20のパイロット版である「タシュケント」は1937年起工。日本の軽巡「夕張」とほぼ同じ2900トン・全長140mの船体に13cm連装砲3基と53cm三連装魚雷発射管3基を積み、出力11万馬力、計画速力39ノットに対し試運転では44.2ノットの記録を出した（速力の数値は複数の説があり、計画42ノット、試運転成績42.7ノットともいう）。ただし主砲が間に合わず、暫定的に単装砲3基を積んで1939年5月完成、翌年半ばに正規武装となる。ソ連の大型駆逐艦はフランスの同種艦を念頭に置き、それらと同じく姉妹艦の編成単位で運用する構想だったようだが、タシュケント級の国産計画は機関の製造困難のため中止され、一回り小さいプロイェクト48、キエフ級も、同型の国産エンジンを搭載した試験艦の不調から計画放棄に至ったと考えられる。戦後のソ連駆逐艦は標準型のプロイェクト7から発展した。

### 建造 タシュケント模型紹介

ソ連海軍の駆逐艦「タシュケント」。インジェクションプラスチックキットは当然発売されていない……と断言したいところだが2019年、トランペッターから1/350キットが発売された。同社は1/350の設計データをベースに1/700キットを発売するケースがあるため今後、1/700で発売される可能性も期待できる。作例はコンブリックのレジンキャストキットだがこちらは流通量が少なく入手難だ。

# J級駆逐艦
## 一見平凡な設計？<br>七つの海を制する大英帝国の標準型駆逐艦

**海外領土を世界中に持つイギリス海軍は他国のような奇をてらった設計ではなく一見平凡な性能の中型駆逐艦を設計した。これがJ級でほぼ同じような設計のK級、N級と併せて24隻が量産された。一本煙突の艦影はイギリス人の琴線に触れたようで“ハンサムJ”と呼ばれて愛された**

文／岩重多四郎

### イギリス海軍駆逐艦 ジャーヴィス

イギリス海軍駆逐艦 ジャービス
フライホーク1/700
インジェクションプラスチックキット
（L級駆逐艦より改造）
製作／岩重多四郎

第一次大戦後のイギリスは財政的に厳しく、世界的な海上交通網を保護するための海軍力のメインテナンスが大きな課題となった。1920年代後半から第一次大戦型のV・W級にかわる艦隊型駆逐艦の建造を始めるが、A～I級は低予算で数を揃えるため日米の新型艦と比べると至って保守的なデザインにとどまり、1艦あたりの戦力では太刀打ちできなかった。ドイツの再軍備によって軍事的緊張が高まり、この状況を打破するべく建造されたトライバル級は、主砲8門・魚雷発射管4門という武装で、偵察艦に近い性格のものだった。排水量1850トンのわりに武装が少ないとの批判もあり、次のJ・K級は主砲6門・魚雷発射管10門の正統派駆逐艦として計画されたうえ、船体の基本構造を見直し、主缶を思い切って2基に減じ、排水量1700トンに収めた。主砲は仰角40度の平射砲で完全な砲室ではなかったものの、ひとまず日本の白露型に匹敵するレベルの艦になったと言える。1939年中に同型艦16隻が全て竣工し、第二次大戦開始時の最新鋭艦として貴重な戦力を構成。砲室装備を実現した次のL・M級が大量生産できなかったため、J・K級の仕様に戻したN級8隻が追加された。主砲は連装3基とも前向きが正規の係止位置で、3番砲も真後ろに向かない変わった特徴があったが、後に改修されている。英駆逐艦は戦時需要に対応するため再びA～I級に近い武装に戻り、J～N級に匹敵する艦は戦後まで現れなかった。なお、英駆逐艦は若干大きい嚮導艦と列艦8隻で1グループを組み、それらで艦名の頭文字を統一し（一部の嚮導艦に例外あり）、予算も年ごとにセットで承認されていたが、トライバル級から8隻1グループに変更され、嚮導艦は列艦と同じ船体に司令部設備を増設した。「ジャーヴィス」は嚮導艦で、後部甲板室がやや大きい。

### ジェーナス

イギリス駆逐艦は艦名の頭文字を揃える傾向にある。J級駆逐艦はJから始まる名称をつけられており、意味はバラバラだ。たとえば1番艦「ジャーヴィス」は18～19世紀の海軍提督の名前から取られたもの。5番艦の「ジェーナス」はローマ神話の双面神ヤヌスのこと。「ジャッカル」「ジャガー」は動物の名前などから採用された。

### 建造 J級駆逐艦模型紹介

イギリス海軍の駆逐艦はタミヤやピットロード、フライホーク、IBGなどから発売されている。海外艦の中では比較的恵まれているほうだが肝心のJ級駆逐艦はまだ発売されていない。作例はフライホークのL級駆逐艦から改造したもの。そんな中、イギリス艦を熱心に開発している青島文化教材社から完全新金型で「ジャービス」が発売されることがアナウンスされた。2020年2月発売予定。

# フレッチャー級駆逐艦

## 甲型駆逐艦のライバル 太平洋戦争を戦ったアメリカ海軍の主力駆逐艦

**日本海軍の陽炎型、夕雲型に相当するアメリカの量産型駆逐艦。余裕のある船体設計により大戦後期の武装強化へも対応することができた。本艦の最大の武器はなんと言ってもその量産性。日本海軍の甲型は38隻の建造に終わったがフレッチャー級は175隻もの建造に成功した**

文／岩重多四郎

### アメリカ海軍駆逐艦 ジョンストン

アメリカ海軍駆逐艦 ジョンストン
タミヤ1/700
インジェクションプラスチックキット
製作／中村勝弘

米海軍は第一次大戦中から直後にかけて一挙に300隻の駆逐艦を建造し、その反動で10年以上ものあいだ1隻も駆逐艦を作らなかった。1934年のファラガット級からようやく次世代の駆逐艦が現れるが、当初から主砲に12.7cm両用砲を用いたのが卓越した長所で、第二次大戦でも艦隊防空の役目をよく果たすことができた。アメリカはロンドン条約の後に締結された第二次ロンドン条約に加わっていたこともあり、サイズは1940年就役開始のベンソン級まで1500～1600トンで一貫しており、主砲と魚雷発射管の数にバリエーションが見られるが、概して重武装で、多くの艦が主砲4～5門と四連装魚雷発射管3～4基を搭載。タービン機関の蒸気性状の高温・高圧化にも長じ、無理な性能アップより機関部自体の容積減少に活用していた。第二次大戦の開始を受けて新たに設計されたフレッチャー級は、条約失効に伴い排水量を2100トンまで拡大。強度確保のため、第一次大戦型に続いてシアーの強い平甲板の船体形状を採用した。機関出力6万馬力で計画速力は約38ノットに向上、武装は主砲5門と魚雷発射管五連装2基でほぼ在来艦並だが、基本設計に余裕を持たせたおかげで戦時特有の急激な装備追加にも対応できた。1942～44年に175隻が竣工。日本の甲型の対抗馬に位置付けられ、水上戦闘力ではやや譲るものの、速力、対空火力と建造数で上回り、電子機器や対潜能力のアドヴァンテージも見過ごせない。主砲を連装3基に強化した後続のアレン・M・サムナー級はかえってバランスを崩して凌波性を損ね、船体を延長したギアリング級へ移行した。戦時量産艦といっても中身はしっかりしており、戦後も余剰艦が各国へ売却され、ごく最近まで長く活躍を続けている。

### フレッチャー

フレッチャー級の艦名は基本的に海軍関連の軍人の名前から取られている。ドイツやフランス、イタリアなどの陸軍国では軍艦に陸軍軍人の名前を採用するケースが見受けられるが、アメリカは歴史こそ浅いものの海軍国。多数の海軍軍人を輩出している。「フレッチャー」は空母部隊を率いて戦った第二次大戦のフランク・J・フレッチャー提督ではなく、1914年の米墨戦争時に活躍した叔父のフランク・F・フレッチャー提督の名前に因んだものである。

### 建造 フレッチャー級駆逐艦模型紹介

日本海軍と直接戦ったアメリカ海軍の駆逐艦は比較的キットに恵まれている。最多量産艦であるフレッチャー級はタミヤから1/700と1/350キットが発売されている。フレッチャー級は2タイプ「フレッチャー」と「クッシング」が存在している。「フレッチャー」は初期の楕円形の艦橋構造のもの、「クッシング」は後期の角型艦橋を再現したものとなっている。「ジョンストン」を製作する場合は「クッシング」を選ぼう。

# ジョン・C・バトラー級護衛駆逐艦

## 味方空母部隊の盾となるべく突撃！ “戦艦の如く”戦った護衛駆逐艦

**500隻を超える数が量産された護衛駆逐艦。一見カタログスペックは平凡なもののように見えるが日本海軍のほとんどの駆逐艦よりも対空、対潜能力が高かった。大半の艦は船団護衛などの地味な任務についたが、ここで紹介する「サミュエル・B・ロバーツ」のように優勢な水上艦隊に立ち向かった艦もあった**

文／岩重多四郎

### アメリカ海軍護衛駆逐艦 サミュエル・B・ロバーツ

アメリカ海軍護衛駆逐艦 サミュエル・B・ロバーツ
ピットロード1/700
インジェクションプラスチックキット
製作／中村勝弘

アメリカ海軍も日本海軍と同様、基本的には商船保護に対しさほど熱心ではなく、第二次大戦がはじまった時点では外洋での海上護衛について目ぼしいビジョンを持っていなかった。1941年初頭に最初の航洋護衛艦のデザインが提示されたが、まだ参戦の切迫感が乏しい時期で実現しなかった。しかし6月にイギリスから護衛艦100隻の建造要求があり、先のデザインと英海軍の要望するスペックを踏まえ、護衛駆逐艦と称する新たな艦種が登場。半年後にアメリカの参戦も現実化したため建造計画は急増し、発注数1005隻、実際の竣工数563隻にのぼった。さすがに無の状態からこれだけの艦を大量生産するのはアメリカにとっても一大事で、所定の性能を得るべき機関部と武装を全てに充足させることができず、利用可能なものを手配した関係で複数のサブタイプが存在した。具体的には、機関がディーゼル電気推進（ディーゼルでモーターを回す）、タービン電気推進、ディーゼル、タービンの4種、武装が主砲7.6cm3門と12.7cm2門の2種、加えて一部に船体の短いものもあり、これらをとり合わせて6型式となる。速力はタービン搭載のもので24ノット、ディーゼル使用のものは1隻あたりの搭載数を本来の半分に減らし、21ノットしか出ない。また、英海軍の要求には魚雷発射管がなく、引き渡された78隻には搭載されず、艦種もフリゲートとされたほか、短船体型は米海軍のものも未搭載で、船団護衛の観点からは全く支障はなかったものの、もともと水雷艇の拡大版として始まった駆逐艦という名称からすれば異質の存在だった。一方、ジョン・C・バトラー級はタービン推進・12.7cm砲搭載で、米海軍が本来望んでいた仕様・性能を持ち、太平洋方面の侵攻作戦で攻撃・支援部隊の護衛にも従事。補助駆逐艦として有効に用いられた。

### 建造 ジョン・C・バトラー級護衛駆逐艦模型紹介

護衛駆逐艦「サミュエル・B・ロバーツ」はジョン・C・バトラー級護衛駆逐艦の1艦。同型艦は81隻。キットはピットロードからインジェクションプラスチックキットとして発売されている。キットは2隻入り。ただしジョン・C・バトラー級護衛駆逐艦のキットは流通量が少ないようだ。代わりに同じピットロードのラッデロウ級護衛駆逐艦から作るという手段もあることを覚えておこう。

KanColle Pictorial Modeling Guide 6

Visual Reference of IJN Warships for KanColle "Admirals"

# 艦これピクトリアルモデリングガイド6

『艦これ』提督のための艦船模型ガイドブック

**■スタッフ STAFF**

編集/Editor
ネイビーヤード編集部 NAVY YARD Editorial department

模型製作/Modeling
岩重多四郎 Tashiro IWASHIGE
佐藤美夫 Yoshio SATOU
中村勝弘 Katsuhiro NAKAMURA
畑中省吾 Syougo HATANAKA
細田勝久 Katsuhisa HOSODA
山下郁夫 Ikuo YAMASHITA
米波保之 Yasuyuki YONENAMI

文/Text
岩重多四郎 Tashiro IWASHIGE
松田孝宏 Takahiro MATSUDA
後藤恒弘 Tsunehiro GOTO
吉野泰貴 Yasutaka YOSHINO

協力
「艦これ」運営鎮守府(C2Praparat Co., Ltd.)
田中謙介 Kensuke TANAKA
齋藤恭子 Kyoko SAITO
宮川若菜 Wakana MIYAKAWA

カバーイラスト/Illustration
コニシ Konishi

撮影/Photographer
株式会社インタニヤ ENTANIA

カバーデザイン/Cover design
株式会社アクア ACQUA

『艦これ』提督のための艦船模型ガイドブック
**艦これピクトリアルモデリングガイド6**

発行日 2020年2月28日 初版第1刷

発行人 小川光二
発行所 株式会社 大日本絵画
〒101-0054 東京都千代田区神田錦町1丁目7番地
Tel 03-3294-7861（代表）
URL; http://www.kaiga.co.jp

編集人 市村弘
企画／編集 株式会社アートボックス
〒101-0054 東京都千代田区神田錦町1丁目7番地
錦町一丁目ビル4階
Tel 03-6820-7000（代表）
URL; http://www.modelkasten.com/
印刷／製本 大日本印刷株式会社
内容に関するお問い合わせ先：03（6820）7000 （株）アートボックス
販売に関するお問い合わせ先：03（3294）7861 （株）大日本絵画

Publisher/Dainippon Kaiga Co., Ltd.
Kanda Nishiki-cho 1-7, Chiyoda-ku, Tokyo 101-0054 Japan
Phone 03-3294-7861
Dainippon Kaiga URL; http://www.kaiga.co.jp
Editor/Artbox Co., Ltd.
Nishiki-cho 1-chome bldg., 4th Floor, Kanda
Nishiki-cho 1-7, Chiyoda-ku, Tokyo 101-0054 Japan
Phone 03-6820-7000
Artbox URL; http://www.modelkasten.com/





定価はカバーに表示してあります。
ISBN978-4-499-23284-5